Dialoog met de natuur

Irene van Lippe-Biesterfeld

Dialoog met de natuur

Een weg naar een nieuw evenwicht

Uitgeverij Ankh-Hermes bv - Deventer

De in dit boek afgebeelde schilderijen zijn van de hand van de auteur.

Opmaak: Computekst grafische tekstverwerking, Groningen
Lithografie: Peach belichtingsstudio bv, Groningen
Druk: Giethoorn-NND/Meppel
Laminaat: Lakro, Meppel
Bindwerk: Boekbinderij De Ruiter bv, Zwolle

CIP-GEGEVENS KONINKLIJKE BIBIOTHEEK, DEN HAAG

Lippe-Biesterfeld, Irene van

Dialoog met de natuur : een weg naar een nieuw evenwicht /
Irene van Lippe-Biesterfeld. - Deventer : Ankh-Hermes - geïll.
ISBN 90-202-9085-1
NUGI 626
Trefw.: levenskunst/natuur

Inhoud

Opgedragen aan de natuurwezens, de dolfijnen, aan mijn kinderen en andere lieven. En aan een oude vriend die de droom koestert van een wereld waarin Mankind bekend zal staan als Kindman, op de planeet van Kindness.

Voorwoord

Wie een autobiografisch boek schrijft, wat ook de strekking moge zijn, leeft in een gevaarlijke wereld. Vanaf de dag van publikatie heeft hij met mensen te maken die meer van hem af weten dan omgekeerd. Hij is in één stap uit het harnas getreden dat een mensenleven van ervaring en intuïtie rond zijn ego had opgebouwd. Het vereist moed en zelfvertrouwen, en een krachtige motivatie. Prinses Irene heeft die stap genomen, en het bovenstaande in het vrouwelijke omgezet slaat op haar.

Vanaf het begin ben ik ertegen geweest. Ook na lezing van het manuscript is mijn tegenstand onverminderd. Niet dat Irene van Lippe-Biesterfeld ongepaste onthullingen doet, want *Dialoog met de natuur* beschrijft in stijlvol en soms poëtisch Nederlands haar zoektocht naar de essentie van de kosmos en alles wat groeit en leeft en leidt tot een filosofie die intiem contact met de natuur als uitgangspunt ziet, een opbeurende, soms verbijsterende, maar altijd belangwekkende openbaring. Toch is het een uiterst persoonlijke ervaring waarvan de beschrijving de lezer onvermijdelijk een blik in haar ziel gunt, hoe zijdelings ook, als het openen van een kier waarna het niet altijd makkelijk meer is een potentiële indringer buitenshuis te houden. Het publiceren van een boek leidt onafwendbaar tot pers en televisie, waar de best getrainde indringers uit hoofde van hun beroep hoogtij vieren, en voor hen is het hele huis van Irene's leven, verleden, heden en toekomst boeiend terrein. Als iemand die zijn leven lang in de journalistiek werkzaam is geweest en trots is op zijn vak hoop ik dat zij haar kameraadschappelijk zullen verwelkomen als mede-publicist.

Zij heeft zich van mijn negatief advies kennelijk niets aangetrokken, wat mij eigenlijk niet verbaast, want ze weet wat ze wil en is bang voor niemand, op het roekeloze af. Wie vraagt nu bijvoorbeeld een uitgesproken criticus een voorwoord te schrijven? Maar als vrouw van de wereld weet zij best dat een positief woord van een tegenligger zwaarder weegt dan de loftuitingen van een aanhanger, en enig verband tussen *Soldaat van Oranje* en metafysica is in Nederland tot nu toe niet gelegd. Maar ben ik op Irene's terrein werkelijk zo'n buitenstaander? Tenslotte is Java mijn geboorteplaats, waar de mensheid de westerse arrogantie mist van alleen zichzelf een ziel toe te kennen. En hebben scholen dolfijnen in Hawaï niet ook mij als speelmakker in hun midden ontvangen?

De reden voor haar doortastendheid begrijp ik dan ook best, niet zonder bewondering: Irene ontwikkelt het bewustzijn voor een levensvisie die, zowel persoonlijk als kosmisch, hoop voor de toekomst belooft. Maar wat voor haar nu glashelder is, moet om effect te hebben door velen van haar medemensen worden begrepen en toegepast. Hiertoe kan zij bijdragen door haar ervaring, mede in boekvorm, met anderen te delen. De feiten zijn hierbij van minder belang, het zijn veelal persoonlijke interpretaties van emotionele waarnemingen, maar cumulatief wijzen zij de weg naar een lichtend visioen voor hen die bereid zijn en in staat zijn deze controversiële begrippen met een open geest te benaderen. Gezien de toestand van de wereld en het gedrag van de mensheid kan ik dit alleen maar toejuichen.

In feite ben ik zelfs het prototype van de lezer waarop *Dialoog met de natuur* is gericht: een mens uit velen die zich het lot van de wereld en alles wat daarop leeft aantrekken, de problemen zien, maar niet de oplossing, waarvoor zij hoopvol zitten te wachten op de inspiratie van een ander. Een dergelijke inspiratie heeft Irene gemotiveerd dit boek te schrijven, want haar liefde voor de natuur en alles wat daarin "bezield" is – voor haar een onbegrensd begrip – is diep en oprecht. Deze liefde draagt het boek uit, niet om de lezer te bekeren maar om die ervaring eerlijk en onbevangen met hem te delen. Het is een gulle gave, begrensd uitsluitend door de ontvankelijkheid van de begunstigde.

Wees voorbereid op verrassingen. Keer op keer leiden ogenschijnlijke details tot onverwachte inzichten, vertrouwde tafereeltjes tot verre blikken op ongekend gebied, waarnemingen tot concepten op de grens van fantasie, voor ieder naargelang van instelling en verbeeldingskracht. Het eindresultaat is een visie van twee realiteiten, de wereldse en de metafysische, die de auteur ook in haar eigen leven in succesvol evenwicht heeft weten te brengen. *Dialoog met de natuur* is een moedige stap naar een waardig doel.

Door Irene bij de hand geleid te worden langs deze ontroerende etappe van haar toch al uitzonderlijke levensweg is voor iedere lezer een unieke ervaring.

Erik Hazelhoff Roelfzema

Prelude

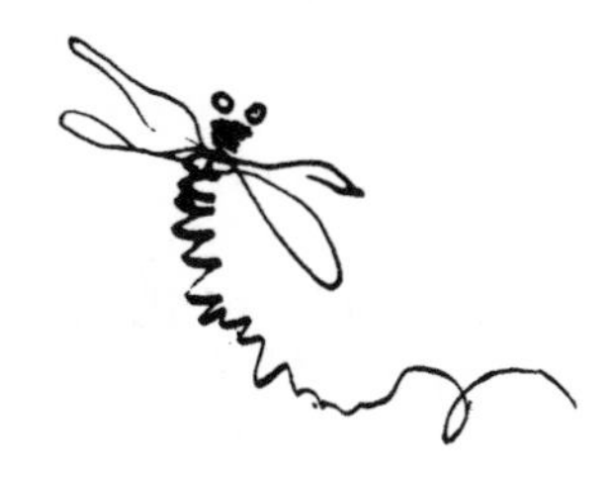

Veel mensen ontkennen het bestaan
van alles wat zij niet
kunnen waarnemen.
Spreken alleen hun eigen taal.
Hebben geen respect
voor wat zij niet begrijpen.

Het 'gezond verstand'
begreep ooit dat de wereld
plat was,
je de aarde niet
kon verlaten,
dat je atomen niet
kon splitsen.
Alles bleek anders.
Alles zal altijd anders blijken.
Nooit vermoede werkelijkheden
worden feiten,
die op hun beurt weer
onzinnig blijken.
Alles beweegt
in alles,

is oorzaak
van alles.
Gelukkig zijn er almaar meer mensen onder ons
die de moed hebben
niet langer te zwijgen
over wat voor velen
een bedreiging is.
Als de dood
voor het leven,
het meest natuurlijke
ter wereld.
Want hoe kun je een boom nog omhakken
als je weet dat hij een ziel heeft?
Hoe kun je een dolfijn doden
als je weet dat hij kan praten?
Wat betekent meten
als je in een oogwenk
door de tijd kunt reizen?
Ben je wakker
als je ontkent
dat dromen broodnodig zijn?

Irene van Lippe-Biesterfeld schrijft in dit boek
vrijmoedig
over haar belevenissen
haar ervaringen
in die verbijsterende wereld
waar geen grenzen zijn
aan het mogelijke.
Zij leert ons
dat de enige grens
die je daarvoor moet overschrijden
die in jezelf is.

Herman van Veen

Herman van Veen

De eeuwigheid is eerder iets zo eenvoudigs, zo voor de hand liggend, zo aanwezig en zo duidelijk, dat we alleen maar (...) onze ogen hoeven te openen en dan te *kijken*. De zenmeester Huang Po bleef er voortdurend op hameren: 'het ligt onder je neus!'

Ken Wilber, *Zonder grenzen*

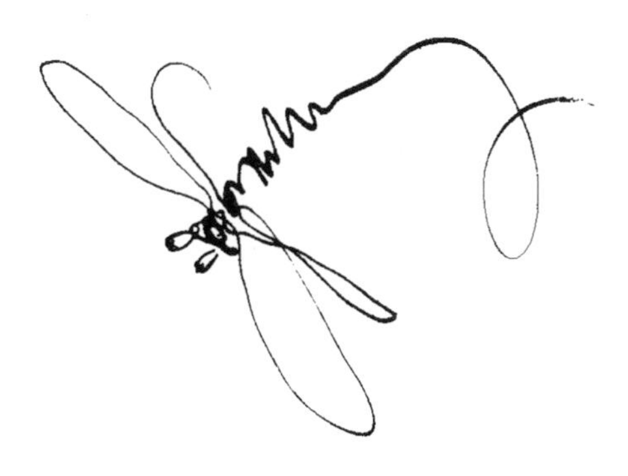

Deel één

I
Herinneringen

'Blijf niet dralen met het vergaren van bloemen om ze te bewaren, maar ga voort, want langs geheel uw weg zullen altijd bloemen bloeien.'

Rabindranath Tagore, *Zwervende Vogels*

'Ειρήνη', vrede, werd ik genoemd, in de hoop dat de oorlog niet zou uitbreken. Het kogelvrije wiegje waarin ik, zes maanden oud, onder het gedreun van bombardementen op de boot werd gezet, ken ik alleen uit het museum van Paleis het Loo in Apeldoorn. Ook het schip de *Sumatra* ken ik slechts uit verhalen. Met mijn moeder en mijn oudste zusje voeren we die hele oceaan over naar Canada, want het was oorlog en *wij* moesten gespaard worden. Ik was de tweede dochter van mijn moeder. Mijn vaders naam verkoos ik pas veel later te dragen. Mijn moeder was enig kind van Wilhelmina, Koningin der Nederlanden. Ver weg van de Hollandse realiteit deed ik mijn eerste levenservaringen op in een land van glooiend groen en ruimte en rust. In een woonwijk van Ottawa woonden we in een villa met twee zuilen naast de voordeur en een tuin met een schommel. Ik sliep boven in een bedje met tralies, waar je op kon klimmen. Alleen de radio in de grote zitkamer berichtte over de verschrikkingen thuis in

Nederland. De gezichten van de 'grote mensen' die nooit schenen te kunnen zítten als ze ernaar luisterden door de enorme spanning die zich om dat toestelletje telkens weer opbouwde, vertelden mij als klein kindje dat er iets héél ergs en ondenkbaar groots aan de gang was, dáár érgens waar wij eigenlijk bij hoorden. Mijn vader was een Duitse Nederlander en gooide vanuit een vliegtuig bommen op Duitsland. Dat deed hij vanuit Londen, waarheen hij, net als mijn grootmoeder was uitgeweken. De 'grote mensen' waren bang dat hij zou omkomen, dat kwam ook uit die radio. Ik miste hem ontzettend. Een paar keer is hij bij ons geweest en ik begreep niet waarom hij weer bij mij wegging. Niemand vertelde mij dat je als je ver weg bent ook nog van iemand kunt houden.

Vermoedelijk was het rond 1944, ik moet ongeveer vijf jaar oud geweest zijn. Eén stralend witte bloesem omhuld door groene bladeren, tegen een strakblauwe lucht. Het beeld greep mij zo dat het vandaag nog op mijn netvlies staat en in mijn ziel gegrift. Het was de boom op een hoek van de straat waar ik op weg naar de kleuterschool, dagelijks langs liep. Een extra onderbroekje in een tasje, want ik plaste altijd in mijn broek. Beelden rood doortrokken van de 'Indian Summer'. Bloot spelen in het gras waar we door het water van de sproeier heen sprongen op de zinderend warme zomerdagen. Sinterklaas, waar ik als de dood voor was. Blindemannetje spelen en met mijn kop tegen één van die zuilen, die bestond uit hele venijnige kleine steentjes, waardoor ik ineens vol bloed zat en de rechercheur, meneer Knauer, zijn beste pak bedierf, omdat hij mij naar boven droeg, naar bed.

1945. Op het luxueuze schip de *Queen Elisabeth* terug naar Nederland. Ik was bang. Ze hadden me al-

lerlei verhalen verteld over het land waar we naar teruggingen. Ik had me een paar maal in doodsangst in het kolenhok verstopt om de verplichte injecties te ontlopen die we schijnbaar nodig hadden om in dat land waar we naartoe gingen te kunnen leven. Er waren daar vreselijke ziektes en alles was héél erg. Via Engeland, waar we kort in grote hooibergen verstoppertje speelden, kwamen we met een vliegtuig aan. Een breed glimlachende meneer die bij mijn grootmoeder werkte, omdat hij in de oorlog een held was geworden, hielp ons uit het vliegtuig.
We moesten een indrukwekkend hek door waar een vriendelijke man in uniform vóór stond, om bij het huis te komen waar we nu gingen wonen. Het was een veel en veel groter huis dan in Ottawa, en het strekte zich uit als een witte waaier in het groen. Tussen dat hek met die man in uniform en het huis in lagen grasvelden met keurige paden erin getekend. Een paar statige honderdjarige rode beuken gaven het geheel extra allure. Achter het huis vonden we een prachtige grote tuin met reuze-rododendrons vol konijnen, een gigantische vijver met een metershoog spuitende fontein, een roeibootje, en een bos om in te dwalen en te verdwalen. We verstopten, ontdekten en klommen in bomen.
Op mijn zesde verjaardag staan er zesduizend kinderen in de tuin. Waar was ikzelf nog? Van wie was die tuin en wat was dat: prinsesje zijn? Waar woonden al die kinderen?
Ik sliep nu in een grote kamer met een hoog plafond en hoge ramen. We hadden een super bad, waar je drie treetjes van een trapje op moest om erin te komen en je kon er, mét alle zusjes en vriendinnetjes kopje-onder in spelen, zo groot en diep was het! Door de lange gangen en over de hoge trappen renden we, opgewonden over zoveel ruimte.

± 1952. Verbergplek daar achter in het bos van Soestdijk, want zo heette het Paleis. Voelen van het hout van het vlondertje onder mijn knieën, het water bruin gekleurd door de lagen gevallen bladeren die op de bodem rustig liggen te verrotten, onder mij. Over de brede sloot die uitmondt in de grote vijver, een elegante witte brug. Reflecties van berken en beuken, geluiden van vogels en bladeren in de wind, zon op het water, insekten, langpoten die rimpeltjs trekken als eigen wereldjes. Eigen plek om weg te dromen en mezelf te zijn. Alleen. Ik krijg er troost en rust en veiligheid. Ik zuig geuren, kleuren en geluiden op door mijn zintuigen en geef deze ontmoetingen en beelden een plaatsje in mijn binnenste. Zó dat mijn hart, mijn buik, mijn ogen en oren er vol van zijn.

1953. Eerste steen leggen van de Nederlandse kerk, de Austin Friars, in Londen. Een nog klein meisje dat haar eerste officiële daad verricht. Handschoentjes aan, hoedje op, grijs jasje over een wijde rok. Witte sokjes in zwarte schoentjes met een riempje er dwars over. Ik moet uit de kring van onbekenden naar voren stappen en kom daardoor heel alleen in een open plek te staan, temidden van die vriendelijke, maar nieuwsgierige onbekenden. Te jong nog en te weinig voorbereid op die doordringende aandacht, de verwachtingen van al die mensen die menen te weten wie dat prinsesje, ik, ben. Doodsangst het verkeerd te doen. Paniek! Ook nu weer niemand die mij vertelt wat ik moet weten. Wel ogen, heel veel ogen en meningen over dat kleine meisje. Midden op die open plek staat een boom. Voor mijn gevoel is die boom de enige die ziet wie ik ben. Ik hoor hem zeggen: 'Kom onder mij zitten, je mag spelen, er zijn hier kameraadjes voor je, die ook van spelen houden.' Maar de grote mensen horen dat niet en denken aan andere dingen, zoals het bouwen van die kerk. En ze weten niet dat de troost die dat gebouw mensen moet bieden, al bij de boom te vinden is.

Vanaf dat moment is er altijd een boom geweest waarbij ik veilig was. Waaronder ik eeuwig kind mocht zijn, mezelf zijn, spelen. Van dat moment af heb ik een wezenlijk contact gehad met bomen. Heb ik geweten van hun bescherming, hun acceptatie van hoe ik ben, in tegenstelling tot hoe ik zou moeten zijn. Taloutje, die gedurende de oorlog ook in Londen was als hofdame van mijn grootmoeder, zit naast mijn bed en leest me voor. Ze is voor mij als die lieve fee uit de tekenfilm *Assepoester* van Walt Disney, die met haar magische stokje alles kan betoveren. De sprookjes van Grimm komen door haar tot leven. *Is* zij de fee en *ben* ik het prinsesje ...? Hoe moet je uit een sprookje loskomen? Wie maakt het sprookje?
Ook herinner ik mij lange vakanties in de bergen. Opstuivende sneeuw, mijn ski's richten zich recht naar beneden, dé afgrond in. Mijn gewicht iets naar rechts dan weer naar links, veer ik als in een vertraagde film door een meter dikke verse poedersneeuw die óver mij heen stuift en onderweg mijn mond en oren vult. Dit komt wel het dichtst bij een gevoel van vliegen. Een en al lichaam, door de speelse inspanning van de sport en de vrijheid van beweging en lucht en zon en wit en blauw. Recht, recht naar beneden!
Een hond blaft daar ergens buiten de hekken. Iedere avond hoor ik hem. Wie zouden daar wonen en hoe zou hun huis eruitzien? Wat zou ik graag weten hoe de mensen in die straten en huizen leven en wonen. Hoe zijn ze en wat doen ze? Ik zou zo graag met de kinderen spelen. Ik haat de hekken die tussen mij en de 'andere' mensen staan.

II

Naar een nieuw evenwicht

'You believe Devine Oneness sees and judges people. We think of Devine Oneness as feeling the intent and emotion of beings. Not as interested in what we do as why we do it.'

Ooota, *Mutant Message*

Madrid. Het is een erg schrale tijd in mijn leven, op de kale hoogvlakte van Castilië zijn geen bomen behalve de kastanjeboom in mijn slaapkamer, geschilderd door mijn grootmoeder. Het beeld van de fiere witte kaarsen tussen het groene blad brengt tenminste het idee van vocht in het extreme klimaat van dit uitgedroogde land. Ik ben getrouwd met een buitenlander vol idealen. Ik ben er ook zo een, en samen denken we de wereld een beetje beter te kunnen maken. Onverwoestbare jeugd! Af en toe gaan Carlos en ik naar Aranjuez of een andere oase, waar we onze longen weer kunnen bijvullen met groen. Verademing in een tijd van onvermoeibaar geven en opgeven voor een ideaal. Wij hoopten in een stukje wereld dat gebukt ging onder het fascisme een systeem te kunnen brengen waarin mensen hun eigen beslissingen tot uitdrukking en uitvoering konden brengen. Menswaardigheid heette dat ideaal. Maar hoe kunnen mensen hun eigenwaarde voelen als ze zo lang in een onderdrukkend politiek systeem niet als

volwaardig mens beschouwd zijn? De tijd was nog niet rijp voor een zo grote verandering. Ons werk liep daarop stuk. Ons huwelijk ook.
De tijd van scheiding was aangebroken. We hadden ons úiterste best gedaan.
We hadden vier fantastische kinderen samen. Maar als je je prioriteiten bij het werken voor idealen legt, zozeer dat het je helemaal opslokt, alles van je vergt, dan kan het gebeuren dat je huwelijk erdoor opdroogt. Juist als je álles hebt gegeven, is die scheiding rauw en bitter. Scheurt het aan alle kanten.
Een scheiding is denk ik altijd verschrikkelijk. De teleurstelling dat het niet gelukt is, is groot. De geborgen wereld van je kinderen wordt opengerukt. Hun ontreddering is totaal. Pijn, diepe, opvretende, wanhopige pijn. Het verdriet en het onbegrip om je heen over je beslissing om alleen verder te gaan, maken alles nog erger. En ik had geen idee of ik het alleen verder aankon. Het was een zware tijd waarin ik tot nieuwe keuzen kwam. Zo besloot ik van dat moment af mijn vaders naam te gebruiken, zoals iedereen, tot nu toe, in Nederland. Ik dook in de Voortgezette Opleiding, wat ik al heel lang had willen doen – ik koos Vrouwen en Welzijn. Het is een agogische opleiding en het geeft de mogelijkheid tot het begeleiden van volwassenen in veranderingsprocessen. De problemen die vrouwen uit verschillende culturen in deze westerse maatschappij ondervinden, had ik aan den lijve ondervonden en ik had er een boek over geschreven. Daarom werd dat de doelgroep waar ik mij verder op wilde richten. In Madrid had ik vrouwengroepen opgezet in de buitenwijken waar de migranten uit de verschillende streken van het land in moeilijke omstandigheden leefden. Eenzaamheid, armoede, desoriëntering, onwetendheid. In Nederland had ik tussen mijn politieke werk door, de opleiding tot train-

ster gedaan, om groepen te begeleiden die toen 'Vrouwen Oriënteren zich op de Samenleving' (VOS) heetten. Dat had mij een eerste stap geleken om de vrouwen een zelfbeeld bij te brengen van waaruit zij wellicht wat makkelijker hun eigen leven in de hand zouden kunnen nemen. Met een groep maatschappelijk werksters, die ik op mijn beurt in de methodiek had getraind, trokken we de wijken in, meestal gevolgd door de Spaanse geheime politie, die dacht dat we communisten waren omdat we in de armste wijken met vrouwen werkten. Het was moeilijk maar vernieuwend werk en we hadden plezier. Ook de urenlange discussies met rokende vrouwen uit alle politieke partijen, in achterafzaaltjes (want alle bijeenkomsten waren in die tijd nog illegaal), vergeet ik nooit. Het was alsof we de wereld opnieuw ontdekten. Wat wilden we zélf als vrouwen? Hoe dachten we zélf over de dingen?
Ik ben allergisch voor onrechtvaardigheid. Daar hadden we in Spanje al tegen gevochten. Nu, in mijn 'nieuwe', zelfstandige leven, kreeg dat streven een heel andere inhoud. Nadat ik mij via mijn man had ingezet, wilde ik mijzelf en mijn eigen waarde nu beter leren kennen om anderen beter te begrijpen en te begeleiden. Dichter bij mijzelf en mijn mede-mensen wilde ik staan. Geen barrières meer door mijn afkomst, de politieke rol als vrouw-van, en al dat soort hinderlijke scheidingen. Ik wilde ook geen politiek-structurele benadering meer. Ik weet niet of de wereld kan veranderen, maar ik ben ervan overtuigd dat mensen kunnen veranderen. Ik hunkerde naar een benadering van mens tot mens. Hoe vaak had ik al niet gefascineerd toegekeken naar wat verandering in een mens teweeg kan brengen. Wat ik ook heb leren begrijpen, is dat ieder mens die evenwichtiger en bewuster leeft, omdat hij of zij de innerlijke verwondingen en ver-

driet niet wegstopt maar juist onder ogen ziet en doorwerkt, niet alleen een geweldige invloed op haar of zijn omgeving heeft, maar ook op het kosmische geheel. Ik zie de mensen'soort' als één groot lichaam, ieder mens afzonderlijk daarin een cel van dat lichaam. Als er één cel lekker in haar/zijn vel zit, gezond is en tevreden met zichzelf en haar/zijn leven, is dat van vitaal belang voor het hele lichaam. En hoe gezonder dat 'hele lichaam' is, des te prettiger is het voor onze leefomgeving, de natuur.
Daar zat ik dan, na zeventien jaar terug in Nederland, in een kring vrouwen uit alle lagen van de bevolking. Het was alsof ik in het diepe sprong in een land dat ik nooit echt had leren kennen. 'Trix is nix' stond op een button op de tuinbroek van een van de vrouwen geprikt ... Het angstzweet brak me uit voor de agressie die ik daarachter voelde. Zal *ik* hier geaccepteerd worden? Tijdens het eerste rondje kennismaking vroeg ik de groep mij een kans te geven mezelf te mogen zijn en niet gezien te worden als een vertegenwoordigster van het koningshuis als instituut. De kring sloot zich, die kans werd me gegeven.
De opleiding was voor een groot deel een zelfanalyse, je kon daar inderdaad niet om jezelf heen en we huilden wat af! Daarmee poetsten we onszelf van binnen schoon. Klassenscheidingen werden doorgespit, de ingeslikte ideeën en pijn en woede daarover doorgewerkt, maatschappij-analyse en eigen doelstellingen werden helder gemaakt. Moederschap en werk verenigen, was voor alle vrouwen met kinderen een hele opgave. Tijd te kort, verdeelde aandacht en loyaliteiten, waanzinnig veel verantwoordelijkheden. We moesten op een gegeven moment in onze agenda één dagdeel per week helemaal voor onszelf vrijmaken ... We kregen de slappe lach. Ieder kwartier van mijn dag had ik ingedeeld. In die tijd deed ik alles alleen: kinderen

naar school brengen, inkopen, huishouden leren (ik had bijvoorbeeld nog nooit gestofzuigd en wist niet dat je een zak in dat ding moest stoppen om enig resultaat te boeken!), opleiding, werken, verdriet hebben.
De weg leren kennen in mijn eigen land. Ik had, het is nu ondenkbaar, nog nooit alleen autogereden in dit land. Altijd was er óf een chauffeur, óf een rechercheur in de auto geweest, en die wist de weg wel, of moest die in ieder geval weten. Als ik na de lessen over de grachten van Amsterdam naar mijn auto liep, had ik het idee uit verschillende stukken te bestaan. De werkende vrouw in een realistische wereld, die toch irreëel werd omdat ik die prinses was, die buiten de dingen was grootgebracht, er dus eigenlijk niet bij hoorde. Aan het eind van de opleiding was ik tot één geheel gegroeid. Wat mij in die tijd ook duidelijk werd, is dat vrouwen zich kunnen ontpoppen als de beste en flexibelste managers die er bestaan, omdat ze op zoveel fronten tegelijk moeten werken.
Deze opleiding had ook een politieke kant, maar het accent lag nu meer bij de mens in haar/zijn sociale context, terwijl we in het politieke werk bezig waren geweest met de mens via ideeën. De structurele kant van hoe klassenscheidingen werken en welke plek je als vrouw krijgt toebedeeld in de maatschappij, werd daarbij niet uit het oog verloren, want dat is natuurlijk onvermijdelijk. Ik woonde in die tijd in een wit huis op een druk kruispunt in Soest. Ik herinner mij hoe ik 's nachts langs de kinderen liep, ze één voor één bekeek, en hoe trots ik op ze was en hoe onvoorstelbaar blij dat ze bij mij waren, in mijn huis. Hoe veel krachtiger ik alléén was dan ik ooit had vermoed.
Een ander deel van de opleiding was praktijk. In Utrecht begeleidde ik Spaanse vrouwen in hun bewustwordingsproces; zij hadden enorme problemen

met het evenwicht tussen hun eigen cultuur en het leven in Nederland waar zij al zeventien jaar woonden. Net zo lang als ik getrouwd was geweest! Dat werk ben ik later gaan uitbouwen en samen met Lydia richtte ik ISIS op, een trainings-, advies- en begeleidingsinstituut voor leidinggevenden en teams. Deze naam kozen wij na enig aarzelen, omdat we ons afvroegen of die niet te soft zou zijn voor een bedrijf. Maar omdat de godin Isis staat voor léven, en ik mij buitengewoon aangetrokken voel tot haar levensdynamiek – de positieve energie die leven kan wekken uit schijnbaar doodlopende situaties –, deden we het toch, want het was wel degelijk een sterk uitgangspunt! Nu heet het ISIS, Instituut voor Transculturele Ontwikkeling.
Bij ISIS is het uitgangspunt, dat wij door onze verschillen van elkaar kunnen leren. Juist de komst van mensen met een andere cultuur, met heel eigen leef- en werkgewoonten kan aanleiding geven tot het nadenken over je eigen gewoonten en hoeveel ruimte je hebt voor elkaars anders-zijn. Daarvoor is het nuttig dat je begrijpt hoezeer je opvoeding je gedrag bepaalt en hoe je cultuur en subcultuur (bijvoorbeeld klasse-achtergrond, kerk) daarin een bepalende rol spelen. Het geeft nieuwe inzichten en biedt nieuwe perspectieven. Vele culturen samen zijn tenslotte boeiender dan één! Dat is het principe van synergie. Samen zijn we méér dan de optelsom zou doen vermoeden. Wat de ene cultuur in zijn normen-en-waarden-pakket heeft, kan voor de andere nieuw zijn en leerzaam. Zo hebben alle culturen elkaar iets unieks te bieden, en ieder mens is daarin weer uniek. Want we zijn per cultuur of subcultuur natuurlijk allerminst een eenheidsworst. Het is verruimend en stimulerend te leven en te werken met mensen die anders denken dan jij gewend was, je vanzelfsprekendheden te onderzoeken.

Deze inzichten en ervaringen hebben mij geholpen om later een stapje verder te gaan. Ik begreep dat de diversiteit van het leven in de ruimste zin, oftewel 'de natuur', ons mensen en elkaar evenveel te leren heeft als de culturen onderling, en dat de synergie van het samenspel van het levende op deze aarde een prachtig geheel vormt, waar ieder telt.

Het is voor mij buitengewoon belangrijk dat ieder mens niet alleen het recht heeft op, maar ook kan leren opkomen voor een eigen plaats met een eigen stemgeluid. Alle stemmen zijn nodig, juist omdat we steeds verschillend zijn. De stemmen van de Oude Volken, of het nu de Noordamerikaanse Indianen zijn, de pygmeeën of de Maya's, de aboriginals of de Inouits (Eskimo's), hebben in deze tijd meer dan ooit iets te vertellen, nu het evenwicht zo grondig verstoord is. Zo kunnen zij ons vertellen over hoe je met de natuur als gelijkwaardigen kan omgaan. Daarmee wil ik niet beweren dat we terug moeten naar een verleden. We zijn tenslotte geen Indianen of Maya's of aboriginals. Het heeft volgens mij geen enkele zin hen nostalgisch na te bootsen, omdat dat niet zou kloppen met jouw werkelijkheid. Je bent jezelf en nooit iemand anders. We kunnen wel léren van de oude wijsheden en die integreren in onze realiteit van nu, om een nieuw evenwicht te vinden mét alle gegevens van ons technologisch bewustzijn.

Het fatalistische idee dat 'God zou bepalen of een mens arm of rijk is' hadden we in onze Spaanse tijd al achter ons gelaten. Dat waren gevaarlijke beelden geweest die mensen ingeprent werden om ons op onze plaats te houden ... Maar we doen het nog. Als westerlingen gaan we er bijvoorbeeld nog altijd van uit dat we meer zijn, meer en beter weten, het voor 'anderen' uit moeten én kunnen maken. Ook al denk je dat je daar niet aan meedoet, dan nog heb je door je schoolopleiding, de geschiedenisboeken, de media en de algemene beeldvorming, deel aan het superioriteitsgedrag. Onbewust, ja. Maar áls je je dat bewust wordt, is dat een grote stap in de richting van gelijkwaardigheid. Het hebben van meer geld zou volgens sommigen onze westerse culturen zekere rechten geven. Hulp verlenen vanuit 'de betere positie'. Het is neerbuigend en kan vreselijk beledigend zijn. Het onthoudt de ander haar/zijn menswaardigheid. 'Sociale pornografie' noemde een Guatemalteekse vrijheidsstrijder het onlangs en hij vertelde dat de paternalistische 'hulp' meer kwaad deed dan de honger die mensen voelden. Als je waarde als mens niet wordt erkend, of erger nog, je wordt ontnomen, blijft er weinig meer over. Degenen die minder geld en mogelijkheden hebben als stakkers te zien, dat is echt mensonwaardig! Samenwerken, elkaar aanvullend, dat is wat anders. Geven, dát wat de ander aangeeft nodig te hebben, is uitstekend. De ander als minder te beschouwen, is vreselijk. Het gaat om respect. Leren van elkaar. Openheid ten aanzien van elkaars wijsheid en uniciteit. Of dat nu is tussen mens en natuur of tussen culturen onderling. In de natuur kent alles zijn waarde. Mensen zijn daarvan afgeraakt. Het is daarom in onze westerse realiteit een stevige opdracht je eigen-waarde weer te leren voelen en daar vanuit te leven. Steeds weer heb ik dat ervaren, zelf, in het politieke werk en in het werken met groepen mensen in veranderingsprocessen.

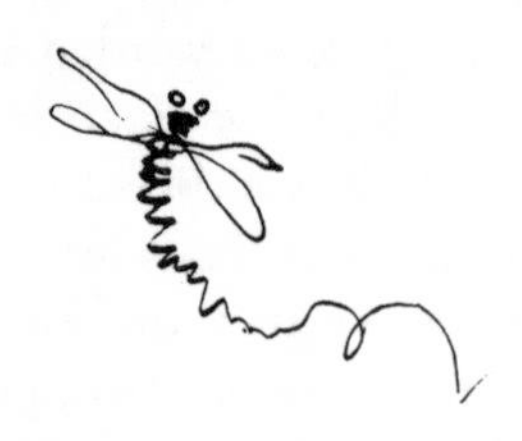

Die waarde als mens, wat gebeurt daarmee als je dood bent? Wat is er hierna? En is er iets vóór? Dat er iets voor en na dit leven is, weet ik heel zeker, vraag me niet hoe. Intuïtie? Weet ik iets uit eerdere ervaringen? Vorige levens? In mijn werk zie ik altijd het enorme arsenaal van positieve kracht dat in mensen zit. Ik vind het een feest om mee te maken als iemand daarmee in contact komt. Waar gaat die levenskracht heen als je hier niet meer bent? Naar een hemel zoals de kerken zeggen? En wat gebeurt daar dan? Zitten we daar met z'n allen een beetje naar elkaar te stralen en verder op onze duimen ... nee, die hebben we dan niet meer. Wat doen we dan? Spoken we een beetje rond de levenden omdat we van ze houden of ze willen pesten? Bestaat er een God of zoiets? Hoe moet ik me díe voorstellen? Is er een hiërarchie? Daar hou ik niet van. Gedurende de hele agogische opleiding en in al mijn werk, was er steeds op de achtergrond de zekerheid, dat wat we hier uitvoeren een weerslag heeft op een groter verband. Dat het daarom belangrijk is door je pijnen heen te werken in plaats van eromheen. Als jong meisje wist ik met absolute zekerheid dat er zoiets als een groter verband bestond. Ik voelde het toen al als een centrale bron van kracht, van leven. Eigenlijk als een warme vriendschap die ik had met ... ja met wát wist ik niet. Met iets liefs daar ergens tussen de sterren.
Ik heb me op een zoektocht begeven naar de essentie, naar die bron. Mijn verlangen er dichterbij te zijn, hield me bezig door alles heen. Met alle vragen die daarbij horen. Wat zit er áchter de tastbare dingen? Waar gaat het allemaal om? Waarom zoveel onrecht, waarom zoveel scheidingen tussen mensen? Wat was de zin van het leven, van mijn leven? Ik kon uren naar de sterren turen en vurig wensen met dat warme 'iets' dat daar in die immense ruimte was in contact te zijn. Ik

las erover, discussieerde, zocht, wenste mij er deel van. In de logeerkamer gooide Elsie haar koffer open en onder mijn verbaasde blikken haalde zij daar een tafeltje uit. Ze zette dat wat ongeduldig op en plaatste aan twee kanten van de tafel een stoel. 'Ik wil je jouw gids leren kennen, ga zitten.' Als iemand die zich verkneukelt over het effect dat een met zorg uitgezocht cadeautje teweeg kan brengen, wees ze mij een stoel. Ik kende artikelen die zij had gepubliceerd over haar ervaringen met haar gidsen. Zij beschreef die als wezens die ieder mens bij zich heeft, als begeleiders, beschermers, helpers. Zielen die niet geïncarneerd zijn in een lichaam en met hun energie bij je in de buurt blijven. Toch spoken dus. Bij het lezen over haar contact met de gidsen, vond ik de gedachte van zulke wezens om je heen een boeiende mogelijkheid. Misschien zelfs wel een mogelijke werkelijkheid.
Nu, in mijn eigen huis, ging zij mij in contact brengen met mijn gidsen! Ik had mij hier op geen enkele manier op kunnen voorbereiden, voorzover dat al kan. Wat stond mij te wachten? Zou ik iets zien of horen? Ik voelde mijn eigen opwinding en spanning en was uitermate benieuwd hoe ze dit ging aanpakken.
Ook zij ging zitten, op de stoel tegenover mij en vroeg hardop om de naam van mijn gids. Tot mijn allergrootste verbazing begon het tafeltje te bewegen. Zij telde en kwam tot 26. Ze schreef de 'z' op, en legde me uit dat iedere beweging van de tafel één letter van het alfabet was. Zo had zij het tenminste met de gidsen afgesproken, om een gesprek tastbaar te maken. Ze had er plezier in en was ontspannen. Dit had ze duidelijk al veel vaker gedaan. Na korte tijd stond de naam van mijn gids opgeschreven. Ik staarde ernaar. Zoro. 'Nee toch, die man met de cape?' vroeg ik Elsie een beetje giechelig. Gelukkig was dat het niet, de afkorting stond voor Zoroaster. Wat een vreemde manier

om in contact te komen met mijn zogenaamde helpers! Omdat ik griezel van spiritisme, en het tafeltje mij te zeer daaraan deed denken, moest ik zelf een andere manier van communicatie bedenken. Dat er 'iets' was dat ik niet kon zien, maar dat reëel aanwezig was, kon ik niet meer negeren. Hoe kon ik zelf, op een eigen manier in contact komen met deze gids? Ik besloot 'Zoro' te vragen mijn lichaam naar links te duwen voor een ja en naar rechts voor een nee. Dan was dat tafeltje er tenminste tussen uit. Bij het stellen van duidelijke vragen (wat niet eens zo makkelijk is, vooral als je 'als een kind' zó veel wilt vragen over die wereld dáár en hier) kreeg ik op deze manier duidelijke antwoorden. Het ontroerde mij diep. Tranen stroomden langs mijn wangen om het feit alleen al dat deze aanwezigheid er voor mij was. En dat hij aandacht en tijd had voor degene die ik écht was, zomaar, of ik nou contact maakte of niet. Ik voelde de enorme liefde waarmee ik werd aangeraakt, want dat was het. Een enkele keer als ik te veel wilde weten, werd ik héél zachtjes achterover geduwd, zo van: ga maar lekker slapen en rust nou maar ... Als ik een onduidelijke vraag stelde of wanneer het te vroeg was voor een antwoord, schudde hij me zacht heen en weer.
In het begin was de ongeziene en ongrijpbare wereld die voor mij openging bijna niet te vatten. De ervaringen waren wonderlijk, vaak verbijsterend. Het was ongelofelijk opwindend, maar mijn tastbare, zichtbare wereldje werd er behoorlijk door op z'n kop gezet. Hoe geef ik dit nu een plaats in het dagelijks leven? Tussen alles wat ik wél kan aanraken, ruiken, proeven? En toch: ik werd bewogen. Dit gebeurde écht. Een avond, toen ik uit pure zoete liefde als door een onzichtbare hand heen en weer werd gewiegd terwijl ik met gekruiste benen op bed zat te lezen, belde ik mijn oudste vriendinnetje Marijke op, om haar ervan

te vertellen. Ik wilde het toch op een of andere manier nog werkelijker voor mijzelf maken, door het hardop tegen haar te zeggen. Daarna liet ik het wonderlijke fenomeen ook aan andere vrienden zien en praatte er geestdriftig over.
Een dimensie meer om in te leren leven. Het onzichtbare toe te laten in mijn leven, wetend dat er wezens om me heen waren die me zagen, voelden en met me meeleefden. Wat een rijkdom! Misschien wel het mooiste dat ik in dit contact met Zoro beleefde, was de avond dat ik moe van het werk aan mijn bureau nog een brief zat te schrijven bij het licht van alleen mijn bureaulampje en Zoro, een beetje uit gekkigheid en eigenlijk zomaar, vroeg mijn vermoeide lichaam een massage te geven. Even later voelde ik een aanraking aan mijn linkervoet. Alsof iemand met lichte hand vakkundig mijn voet masseerde ... Gek genoeg schreef ik door, toch half met mijn aandacht bij mijn brief. Zoiets kun je toch niet zomaar bevatten? Na een tijdje drong de volle werkelijkheid tot me door van wat er gaande was. Ik legde mijn pen neer, met al mijn aandacht nu bij de aanraking. Ik sloot mijn ogen om te voelen en te verwerken wat er hier gebeurde. Een onzichtbare hand raakte mijn huid aan. Je zou je rot kunnen schrikken, maar angst hoorde hier niet thuis. Daar was het te lief voor, te teder.
Het voelde vreemd en toch heel vanzelfsprekend om op een gegeven moment gewoon maar op te staan. Zou hij dan weggaan, of blijven hangen aan mijn teen? Hoe zat dat? Nou ja, ik deed het licht uit, ging naar boven en naar bed. Hij was er nog, en onder zijn massage viel ik in een diepe rustige slaap.
Het was allemaal zo nieuw, de relatie met de gidsenwereld, Zoro, de reële aanraking, de grenzeloze liefde. Waarom was Zoro geen man van vlees en bloed! Het zou de ideale liefde kunnen zijn ... Ik raakte er een

beetje holderdebolder van, zó enthousiast: dit was mijn eerste voelbare ervaring met de wereld buiten de zichtbare, tastbare wereld. Eindelijk.
Toen Elsie mij vertelde dat zij samen met Martha een workshop in Engeland gaf, schreef ik mij daarvoor in. Zij was voor mij op dat moment van mijn leven ook een gids, maar dan een in levenden lijve. Zij wees mij een weg, die een keerpunt in mijn leven bleek te zijn. Daar in Engeland werkte ik door grote delen van de scheiding heen en kwam uiterst kwetsbaar en open terug. Zij had daarvoor gewaarschuwd en dat was maar goed ook, want ik had alleen nog maar zin om buiten in het bos bij de boomwortels te zitten en knollen te eten. Wat daar het dichtste bij kwam waren van die witte smaakloze wortels, schorseneren ... En dan lees je jaren later zomaar eens dat wortels de lever reinigen. En tja, ik had behoorlijk wat op mijn lever gehad.

Op een van de opleidingsweekends, die we op de Volkshogeschool de Drackenburg doorbrachten, hoorde ik over een Amerikaanse vrouw die je kleuren kon 'lezen'. De kleuren van je aura. Als ik ergens zin in had, dan was het wel de kleuren om mij heen, mijn eigen kleuren te leren kennen. Zes maanden later had ze tijd voor mij.
Mary, zo heette ze, zat tegenover mij, dun zwart halflang haar, rond lijf, haar korte beentjes reikten gedecideerd tot net op de grond, haar ogen deed ze dicht om beter te kunnen zien. Een paar keer vroeg ze mijn naam, en vervolgens keek ze dwars door mij heen. Ik ontdekte dat 'lezen' inderdaad letterlijk lezen is. Door dat lezen van mijn energiecentra, de chakra's, en mijn aura, was ik opeens zoveel meer dan die vrouw die daar voor haar zat in jeans en met een kop vol blond haar. Want vanuit de chakra's kon ze de levens die ik

achter mij scheen te hebben lezen. Ze vertelde mij dat ik leefde in een grotere context. Dat er veel meer was dan dit leven alleen. Verbanden werden gelegd, kleuren gezien, verleden had met heden te maken.
'De toren van de tarotkaarten staat achter je. Dat zie ik zelden. Je bent op een kruispunt aangekomen in je leven, waarop je jezelf voor de keuze zet: doorgaan met te voldoen aan de ongeschreven wetten en regels, de normen van je omgeving, aan wat er van kinds af aan van je verwacht wordt, of luisteren naar die andere stukken van jezelf die in die structuur niet tot ontplooiing kunnen komen. Je hebt veel geleerd van de afgelopen lessen, zoals: gehoorzamen, jezelf wegcijferen, je plicht vervullen, voldoen aan de eisen van anderen, je best doen en aan de verwachtingen van vele mensen trachten te beantwoorden. Maar wat de tarotkaart aangeeft, is dat je nu de normen en waarden waarmee je bent opgevoed gedurende je hele leven, aan het afpellen bent, aan het afleggen, om je eigen weg te gaan. Een totale verandering ga je aan met jezelf. Je komt uit een familie met een sterke traditie, wat het moeilijker maakt je eigen weg te kunnen gaan. Want de verandering die jij aangaat, hoort niet, kan eigenlijk niet volgens die normen. Maar je bent er toch mee bezig. Je volgt de weg van je wezenlijke ik, en wéét dat heel diep, eigenlijk onbewust. Daarom is de pijn die je nu lijdt toch nog dragelijk, want je weet dat dit je weg is, sterker nog: je kunt eigenlijk niet anders. Ik zie je verdriet. Verdriet om de verwarring en pijn die jouw verandering bij mensen om je heen teweegbrengt. Verdriet om het afscheid van dierbaren die je door je verandering achter je laat. Verdriet om de verandering zelf. Om de onzekerheid van het nieuwe, de kwetsbaarheid van het nog niet weten hoe je leven zich verder zal ontwikkelen.
Laat me je wel vertellen dat je de kracht hebt voor de-

ze scheuring, want zo ziet het eruit als energie. Je bent enorm creatief, de creativiteit stroomt je uit de handen. Ook intuïtief. Jij kunt óók de fijnere energieën van mensen lezen. Zoals de aura's en de chakra's. In ieder geval kun je het makkelijk leren. Je hebt een hele hele lange weg afgelegd. Als klein kind kwam je op aarde met de verwachting dat de wereld "goed" zou zijn. Dat mensen warm en lief zouden zijn. Je had je een hele voorstelling gemaakt van de mensenwereld. Maar die bleek al heel gauw niet te kloppen, en door je grote gevoeligheid om door de dingen heen te kijken, ben je je toen gaan afsluiten. Je hebt een muur om je heen gebouwd, om geen pijn te worden gedaan. Jij bent zo weinig gezien en begrepen, dat je het absolute besluit hebt genomen niemand, of nauwelijks iemand, in je binnencirkel toe te laten. Je bent je gaan aanpassen aan de hypocrisie van de mensenwereld en hebt geleerd te voldoen aan de normen om gewaardeerd en gezien te worden. Je hebt je openheid opgegeven ook met de natuur; het lijkt of je daar als kind je troost vond, als tegenhanger voor de onechtheid waarmee de "grote mensen" nou eenmaal leven ...'
En zo ging Mary verder, anderhalf uur lang. De gekste details gaf ze, alsof ze werkelijk een boek over me voorlas. Ik herkende dingen, maar wat belangrijker was, ik werd een mens met meer dimensies dan je zo in eerste instantie voor je denkt te zien! Er is werkelijk veel meer dan we zomaar kunnen zien. Altijd had ik dit gevoeld, geweten, ernaar verlangd. Ik voelde het als een verademing. Ik kreeg er een gevoel van grote ruimte door. Alsof de kansen in mijn leven erdoor vergroot werden. De onontkoombaarheid van waar en hoe je wordt geboren, kreeg door het bredere perspectief meer inhoud. Ze vertelde dat ik vele, vele levens achter mij had, waarin ik van priesteres tot afschuwelijke machtswellusteling en, o zeker ook, -wel-

lustelinge, in het lichaam dus als man of vrouw, was geweest en vele facetten van het leven op deze aarde had geleerd. Dat heeft mij sindsdien geholpen beter te vertrouwen op mijn eigen innerlijke stem, want het betekende toch dat ik wel het een en ander wist uit eigen ervaring! Niet de kritische stem die steeds de kop opsteekt, niet de cynische, niet de onzekere, ook niet de kwade, maar de stem van het innerlijke weten. 'De stem van het geweten' zoals een vriend van mij pleegt te zingen.
Want ik besefte dat ik, als ieder ander met een ervaren ziel, al heel erg veel had meegemaakt.

Er is een muur in mijn kamer en tegen die muur sla ik zo hard ik kan met mijn hoofd. Boem, boem, boem. Later hoorde ik dat ze dachten dat iemand spijkers in de muur aan het slaan was ...
Steeds duidelijker wordt het dat volwassen mensen het ene zeggen en iets anders bedoelen.
Ik word er angstig van. Krijg aanvallen van blinde woede. Dan klim ik op de hoge spijlenrand van mijn houten bedje dat tegen die muur staat en bonk uit al mijn macht met mijn hoofdje tegen de wand. Zo wil ik de wereld niet! Zo niet.
Op een avond, in mijn kamer in bed voor het slapengaan, ik ben vier jaar misschien, roep ik alle grote mensen bij elkaar. 'Er zit een leeuw in mijn bed!' Onder de blauwe deken zit een leeuw, daarvan ben ik zeker. De grote mensen zeggen dat dat niet waar is. Ze slaan de dekens open en laten hun logica zien. Maar mijn realiteit is anders. Er zit een leeuw in mijn bed.

Het is lente. De vochtige lucht is zwaar van beloftes, mogelijkheden. Ze is elf. Ze draagt een lichtblauw smokjurkje en zit op haar geheime plekje ver weg in het bos, op het houten vlondertje boven het donkere water. Aan

weerszijden van het vlondertje staan twee helder witte berkebomen als haar trouwe wachters. Hun ragfijne takken steken tot hoog de middaghemel in. Tussen hun wortels groeit lang wild gras, met stippen geel en wit van een enkele boterbloem of madelief. De rood verdorde beukebladeren, overgebleven van vóór de winter, liggen erop en ertussendoor. Ze kijkt naar de weerspiegeling van de bomen in het water. Hun soepele stammen, de bladeren die ritselen en vertellen over tere dingen samen met de bewegingen van het water zelf. Ze heeft haar schoentje uitgedaan en een teen dipt ze spelend in het water. Cirkels kringelen vanaf haar teen. Het water fronst en lacht, want alles gaat dansen op het duistere oppervlak. Ze kijkt en luistert. Urenlang. De kleuren in zich opnemend, de geuren ook en het ritme van alles om haar heen. Ze ademt diep in. Hier buiten is ze thuis.
Hier kan haar hartslag meedansen in het samenspel van de planten, de krioelende insekten en de grote dieren, de bomen, het water, de lucht, de wolken, de zon, de intense vochtige geur en groeikracht van de aarde. De harmonie is zo vanzelfsprekend, ze is hier deel van. Ze haalt diep adem. Ze weet zich veilig.
Ze staat op en als zo vaak dwaalt ze door de dingen heen. Hier een blad aanrakend, daar een zich ontrollende varen. Ze laat de frisgroene bladeren van de beuketak over haar gezicht aaien, als de hand van een geliefde. Zachtheid en liefde omringen haar. Ook haar eigen gezichtje is zacht en haar hart staat wagenwijd open voor alles om haar heen. Voor de stralenbundels van de zon door het bos. De kristalheldere dauwdruppels die aan het spinneweb hangen. Met aandacht bekijkt ze de spin die haar web aan het weven is. Geboeid neemt ze het geduld in zich op waarmee het diertje steeds weer opnieuw begint, de kracht die in dat kleine lijfje zit, de voortdurende vernieuwing. Ze hoort de helderheid van het lied van een vogel. Ze ziet de openbarstende schors van de

berk en zijn trillende bladeren in de zachte lentewind. In het dichtere bos zijn massa's weelderige varens. Om in te liggen en in te verdwijnen. Op haar buik. De varens voorzichtig wegbuigend ziet ze de donkere huid van de aarde. Insekten kruipen rond. Een torretje, mieren, een lieveheersbeestje vliegt vanuit het donker op haar arm. Ze draait zich op haar rug en kijkt omhoog de diepblauwe hemel in. Ze luistert naar de geluiden, het lied van de dingen.

Als ik op school zware migraineaanvallen krijg, met zwarte vlekken voor mijn ogen, mag ik niet naar huis. In de sombere schoolhal, jassen zijn aan twee kanten aan de muur schots en scheef opgehangen, neemt de directrice mij apart. Het is een lange magere vrouw. In mijn ogen is ze streng en oud met haar grijze haar naar achteren in een klein knotje en haar spitse neus. Ze hangt krom gebogen over mij heen. 'Er is geen sprake van dat je zomaar naar huis kunt gaan. Kind, je moet weten door te zetten in het leven. Je kunt nou eenmaal niet voor ieder kwaaltje je plicht opgeven', sist ze omlaag naar het kind, dat omhoogkijkt. Ik voel mij klein en machteloos en durf absoluut niet rechtstreeks voor mijzelf op te komen.

Wat mij nog het meeste trof na Mary's verhaal, was dat ik mijn leven kon veranderen. In de loop der jaren heb ik daarover een eigen theorie opgebouwd, door het lezen van vele boeiende filosofieën en door de ervaringen en inzichten vanuit een eigen praktijk als 'energie-reader' (ook wel aura-reader genoemd). Wat Mary bij mij gedaan had, het lezen van mijn energieën, dat deed ik inmiddels ook. Daarbij viel ik van de ene verbazing in de andere. En ik verwonder me nog dagelijks. Of beter gezegd: de verwondering is niet meer uit mijn leven weg te denken. Want als je in aanraking komt met de levensproblematiek in dit leven van de persoon die tijdens een 'reading' tegenover je zit, dan komen er bij tijd en wijle vorige levens naar voren die relevant zijn voor de pijn, de ziekte, of een vraag die betrekking heeft op het hier en nu. Je grenzen worden daardoor voortdurend verlegd, omdat je dingen 'ziet' die je zelf nooit zou kunnen bedenken. Hoe meer vorige levens ik las, des te meer ging ik mij afvragen hoe het nou werkte. Voor mij werd ten slotte duidelijk dat je op aarde incarneert om te leren uit de ervaringen die je opdoet in/met/door/vanuit je lichaam. Gematerialiseerd, materie geworden in vlees en bloed, zichtbaar, tastbaar, op deze tastbare wereld, aarde. Met dat boeiende, maar ook lastige denkvermogen. Mét je innerlijk weten, mét gevoelens die je je meer of minder bewust kan maken. Met je keuzemogelijkheden. Met je lichamelijke conditie, die ook weer z'n meer en minder heeft en die je in verschillende gradaties van bewustzijn kan beleven. Kortom: als mens.

Wat mij óók steeds duidelijker werd, is dat je niet wordt geleefd door 'iets' buiten je, maar dat je je eigen leven bepaalt. Door je keuzes, door je eigenschappen. Zou het dan ook niet zo kunnen zijn dat je je eigen geboorte bepaalt? Bij welke ouders en in welke tijd? In welke cultuur? Het lijkt mij logisch, gezien de eigen vrije wil.

Het klinkt allemaal misschien wat vreemd, maar ik denk dat je ervoor kiest te incarneren in de tijd en op de plaats waar je kunt leren wat je in de eerste plaats nog niet eerder 'hebt gehad'. En in de tweede plaats wat je in eerdere levens niet lukte, of wat je niet afmaakte. Niet omdat een 'hogere' macht dat bepaalt, maar uit eigen keuze. Waartoe, vroeg ik mij af. Ikzelf kom tot de voorlopige conclusie: omdat ieder mens meedoet aan, deelgenoot is van de groei van de oerbron, de liefde, oftewel het licht dat in alles zit. Dat

wat is. Niet statisch, maar al lerend bewegend als deelgenoot van al het levende op deze aarde, aan de groei, aan de voortdurende verandering. De voortdurende beweging.
De mens heeft daarin een eigen plek, net als al het andere leven op aarde.
Een meerderheid van astronomen gaat er tegenwoordig van uit dat er vormen van leven zijn op meerdere plaatsen in de gigantische kosmos. Het lijkt mij logisch dat daar net als op aarde de wezens, de essenties, hun lessen leren, voeding krijgen van en geven aan de beweging van het geheel van de kosmos. Het lijkt erop dat de aarde een plek is waar de dualiteit de basis is van de leerstof voor mensen. Soms zeggen mensen dat de aarde de planeet is van de angst. Wat op hetzelfde neerkomt, want op het moment dat er keuzemogelijkheid is, is er angst. Weten en geweten.

En ondertussen is er een leven voorbijgegaan. Een leven van keuzen en de consequenties van die keuzen. Het is een hobbelige weg naar eigen gewaarwording. Naar vertrouwen in eigen weten en denken. Steeds een beetje vrijer worden in mijn eigen restricties, tegen het zo braaf geléérde in. Om het dan van mij af te laten glijden, als een oude trui die niet meer past of versleten is. Dat gaat niet zonder moeite, want de bekendheid van oude gewoonten, van diepgewortelde referentiekaders, van ongeschreven wetten over wat 'goed' is en wat 'hoort' is toch lekker veilig.
Vandaag is mijn boosheid voorbij. Die was nodig om ... zo veel te overwinnen. Ga maar na, als je een leeuw met zulke klauwen en zo'n reusachtig grote bek in je bed ...
Het is opmerkelijk dat hoe meer ik mij had afgesloten voor mijn eigen intuïtie en waarheden, des te meer ik mij ook had afgesloten voor de natuur.
Het was dus waar geweest wat Mary zei, het leren le-

zen van energieën die in de chakra's en de aura's en daaromheen zijn en al die energieën die nog wat verder weg om ons heen zijn, had inderdaad ook in mijn gaven-pakket gezeten. Dat ontdekte ik tenminste toen ik cursussen ging volgen om voeding te geven aan mijn gigantische nieuwsgierigheid om áchter de dingen te kijken. Mijn dorst naar het leren kennen en beter begrijpen van het metafysische aspect van het leven, was drijfveer genoeg om de cursus, waarin verwacht wordt dat je heel diep in jezelf kijkt, en later de opleiding te volgen. Daarop ben ik les gaan geven in hetzelfde instituut, over de subtiele energieën en de mogelijkheden van het helen (het héél maken) van jezelf. Ik ontwikkelde nieuwe cursussen over hoezeer je wordt geprogrammeerd door de cultuur waar je in opgroeit en hoe die programmering in je zit, letterlijk tot in je cellen. In hoeverre je die bepaaldheid wilt accepteren en hoe je je daarin wilt opstellen. Verder deed ik allerlei aangename dingen als dansworkshops geven en ik leerde mensen met de bomen praten. Dansen is ritmes voelen, je eigen ritme leren kennen. En als je met je lichaam de tonen van een walsje volgt, maak je totaal andere bewegingen dan wanneer je je laat leiden door bijvoorbeeld de klanken van Japanse muziek. Ik merkte dat mensen bewegingen gingen maken die ze nog nooit eerder hadden gemaakt. Het werkte bevreemdend, maar het gaf een nieuwe vrijheid. Een stapje verder was de communicatie met de bomen, die voor ons ook volstrekt vreemde ritmes hebben. Ik leerde mensen die te voelen en op allerlei manieren waar te nemen. Maar daarvoor had ik wel enige jaren lang nodig om mij te trainen in het zelf leren helder waarnemen, in het scheppen van ruimte voor mijn intuïtie, en daarop te leren vertrouwen. Het voortgezette zelfonderzoek vroeg om nog meer loslaten van het oude, verdriet te doorhuilen, pijn te doorvoelen en los te laten. Een beetje meer vrij te komen van de vooroordelen en oordelen. Dingen die ik belangrijk vond, werden minder belangrijk of verdwenen helemaal uit mijn leven. Een wereld ging voor me open met ruimere inzichten en grotere verbanden. Mijn leven werd er al lichter en zeker vrolijker door. Het resultaat was een meer autonoom leven, een beetje minder aangepast en een veel groter bewustzijn. En uiteindelijk een zeer sterke relativering door dat ruimere overzicht. De lagen van bewustzijn, de verbanden der dingen, het zien en doorvoelen van de vele verschillende subtiele energieën, de mogelijkheden tot verandering en het fantastische besef dat je een eigen leven kunt bepalen. De boodschap dat mensen zondaars zijn, de gedachte van de erfzonde, het fatalisme, de strakke vormen waarin we het 'geloof' hebben geperst, het werd voor mij duidelijk dat dit alles in de loop der tijden te zeer tot kleinschalige mensenmaat was teruggebracht. In ieder geval is de actuele werkelijkheid voor mij totaal anders en ervaar ik in iedere vorm van leven de aanwezigheid van wat we 'goddelijk' zijn gaan noemen. Ik noem het nu liever 'licht'. Al dat licht samen hier op aarde is denk ik een deeltje van de oerbron, de generator van dat licht.

Ik las over een theoretisch fysicus, dr. Fritz Albert Popp*, die in 1974 tot de spannende ontdekking kwam dat in de augurk levenslicht zit. Ik citeer: 'Met gevoelige apparatuur kon hij het licht dat de augurkencellen uitstraalden meten.' Hij ging verder in zijn onderzoek en constateerde dat 'in de cellen van alle levende wezens, van de augurk tot en met de mens, licht zit'. Hij gaf de lichtdeeltjes de naam 'biofotonen', omdat in de fysica de kleinste lichtdeeltjes foto-

* Zie: Dagny Kerner/Imre Kerner *De taal van de plant*, Ankh-Hermes, Deventer

nen worden genoemd. Hij ontdekte voorts dat de biofotonen informatiedragers zijn. Ik citeer verder: '... zij zorgen ervoor dat in een plant, net als in andere organismen, ook in de mens, elke afzonderlijke cel tegelijkertijd alles weet wat zich in het organisme afspeelt (...) De straling van de biofotonen komt uit het DNA, dat in alle cellen aanwezig is (...) Niet als een gloeilampje, maar als een laserstraaltje! (...) Door hun bijzondere fysische eigenschappen zijn laserstralen tegelijkertijd informatie-stralen. (...) Wat de mens nog maar net begonnen is toe te passen, gebruikt de natuur in een geperfectioneerde vorm al sinds de oertijd. De lasershow van de natuur impliceert het overbrengen van een ongelofelijke hoeveelheid informatie met de snelheid van het licht, zowel binnen het organisme als tussen de organismen onderling, want ze beperken zich niet tot het organisme, maar bereiken ook andere organismen (...) Van eencelligen via bloemen en dieren tot en met de mens (...) zonder dat de mens (...) deze *alomvattende vorm van communicatie* (bewust) waarneemt.' Popp en een groot aantal andere wetenschappers meten dus het levenslicht!

Wat ikzelf ontdekte, is dat als je gerichte aandacht geeft aan een steen of een bloem of welke levensvorm dan ook, het licht in die steen helderder gaat stralen omdat de energie door die gerichte aandacht sterker wordt. Dat wil zeggen dat met échte aandacht alles tot stralender, krachtiger leven komt. Je moet het maar eens proberen. Het licht dat wij mensen in *al* onze cellen hebben, kunnen we ook bij elkaar en in onszelf helderder maken. Als de aandacht oordeel-vrij is, open tegenover het leven in de ander, zonder verwachtingen, krijgt dat licht meer kans.

Deze ontdekkingen waren voor mij een bevestiging van eigen, totaal onwetenschappelijke ervaringen! Werkelijk heel opwindend ...

De opleiding bracht mij terug naar mijn eigen oorspronkelijke weten, waar op de een of andere manier meer licht in zit dan in kennis over. Kennis had ik opgedaan in scholen, uit boeken, via vele leraren, mijn ouders en omgeving. Het geleerde had mijn eigen intuïtie overwoekerd en mij onzeker gemaakt over mijn eigen gevoelens en gedachten. Het lijkt wel of het hele opvoedingssysteem in onze cultuur daarop gericht is. Je krijgt allemaal nuttige informatie om in het leven van onze maatschappij het een en ander te kunnen doen. Je houvast is in grote mate je kennis, het geléérde. Het wordt als essentieel gezien. Maar je weten, dat wat je als klein kind al hebt, of nóg hebt, omdat je het méébrengt uit eerdere ervaringen, daarin worden we te weinig of niet bevestigd, gestimuleerd, gewaardeerd! Weten is iets heel anders en dient een ander belang dan de kennis die je vergaart. Het leidt je naar ándere wegen.

Je weten heb je nodig om te overleven in noodsituaties en bij de keuzen in je leven. Je bent in een moment van weten op een andere plaats in je lichaam dan met kennis over iets. Het zit hoger, net boven je hoofd, of in je hart, of in je buik. Kennis zit in je hoofd. Soms krijg je er hoofdpijn van. Je weten staat als het ware bóven de kennis óver. Het is helderder. Naar mijn ervaring ben je dan terechtgekomen op het terrein van de wezens-kennis. Het weten dat je vergaarde door je levens heen. Ik denk dat je als kennis en weten samenwerken, geïntegreerd zijn, optimaal functioneert. Ken je dat gevoel als je een denk-boek leest dat je boeit, dat het boeiende juist is dat je weet dat het wáár is wat daar staat, omdat je het al wéét? Dat deeltje van je weten wordt eigenlijk pas wakker door het lezen van dat boek. En zo is er heel veel weten in je dat een beetje slaapt, maar op de gekste momenten wakker kan worden. Meditatie en innerlijke gewaarwording kunnen daar bij helpen. Maar ook een opmerking van iemand of een beeld dat je ergens ziet. Is waarheid ooit Waarheid, of is het niet meer dan de waarheid van het moment? Het moment dat je het vastlegt, kan het dogmatisch worden en daarmee beperkt het je vrijheid. De waarheid van je eigen innerlijk weten komt er soms tussendoor, uit het vorige en het vroegere. Los. Losstaand. Niet statisch. Waarlijke momentopname, louter gebonden aan de omstandigheden van de reële werkelijkheid van het moment. Dat is een vrije gewaarwording.

We zijn ver van het onzichtbare afgeraakt. Eigenlijk betekent dit dat we het respect voor het wezen van de dingen zijn kwijtgeraakt. Rupert Sheldrake laat in zijn boek *Wedergeboorte van de natuur* zien hoe we via de Reformatie bij het humanisme terecht zijn gekomen in 'the disenchantment of the world', zoals hij dat zo mooi noemt. De mechanische wereld heeft het wonder vervangen.
Wij zijn als weeskinderen, los van de magische kracht die in alles zit. We zijn niet meer verbonden. Niet met de eindeloze verhalen en ervaringen van voorwerpen, niet met de krachten van de natuur, niet met elkaar als mens, niet met elkaars culturen, niet met de elementen, Moeder Aarde, de plantenwereld, het natuurlijke, de geesteswereld, niet met de dieren. We zijn meer verbonden met het altijd aanwezige lawaai en het asfalt van de wegen en de verwarrende, té vaak destructieve boodschappen die via de televisie bij ons binnendringen. Waar is het ooit nog stil? De dag begint met berichten uit de radio en de televisie en eindigt ermee. Ja, om vier uur 's ochtends hoor je de vogels nog bijna zonder ruis. Het geweld van geluid is natuurlijk geworden, de stank ruiken wij niet meer. Ons hoofd is ons meest gewaardeerde lichaamsdeel,

en binnen dat hoofd nemen de hersenen de eerste plaats in. Die draaien overuren en we compenseren dat door ons lijf vol te proppen met wat voor voedsel dan ook, of door overdreven nadruk op sport of vrijen. Afgesloten van dat licht in onszelf zijn we. Gek genoeg leven we zelfs helemaal niet in het bewustzijn dat ons lichaam ons 'ik' is. We forceren ons lichaam tot het uiterste. Het is meer onze vijand waar we voortdurend op kankeren als die zich éven laat horen. Waar heb ik afgeleerd op een natuurlijke manier met de natuurelementen verbonden te zijn, met heel mijn lichaam en zintuigen, met héél mijn ik, met de mogelijkheid mij te verwonderen? Wat is er met ons gebeurd dat we de natuur, het natuurlijke, niet langer zien als een gelijkwaardige partner in het levensspel op aarde? Waarom ben ik niet doordrongen van het feit dat ik als mens niet kan leven zonder álles wat op het aardoppervlak groeit, de lagen aarde daaronder, met alle rijkdom daarin, en de dieren die de verschillende elementen verbinden? Wanneer zijn wij opgehouden het natuurlijke te respecteren? Waarom leerden we als kind niet dat al onze voeding uit de aarde komt? Waarom werd daar niet over gepraat? Was het zo ver verwijderd van de eettafel en de dagelijkse realiteit? Was het zo natuurlijk, dat het niet meer gewaardeerd, gezien werd?
Wij staan er niet meer bij stil dat dat kalfje helemaal alleen expres voor ons is gefokt en geslacht en in kleine stukjes in plastic gewikkeld op de schappen ligt om achteloos in een supermarktkarretje gegooid te worden om op een avond alweer gedachteloos te worden verorberd.
Als Martha mij zegt dat de aarde binnenkort zal exploderen, uit elkaar zal spatten, als om al onze vervuiling en wanbegrip af te schudden en dan opnieuw en anders weer door te gaan, dan denk ik: dat zou mij

niet verbazen. Alle Martha's van de wereld: jullie hebben gelijk! Ik weet niets van de o zo gevoelige wereld daar buiten mijn huis, mijn stad, mijn comfort. Niets, en ik kan er ook niets mee. Ik ben een vreemde temidden van mijn oorspronkelijke moeder, de aarde. Afgesloten.

Ik moet beter voor het milieu zijn, wordt er gezegd. Ja! Maar ik heb niet het flauwste benul wat het is! Milieu klinkt en voelt als 'iets', zonder leven. Hoe kan ik mij met 'iets' identificeren? Als ik mij er niet mee verbonden voel, is het logisch dat ik de flessen toch stiekem bij het algemene afval stop als ik te lui ben om naar de glasbak te rijden met mijn stinkende uitlaat. Ik heb geen idee hoe ik met bloemen, bomen, groenten of met dieren moet omgaan. Ik ben eigenlijk bang voor al dat onbekende leven. Niet alleen voor de koeien als ik door hun weiland heen wil lopen. Hun grote ogen kijken me zo onbestemd aan dat ik denk dat ik elk moment op de dames haar horens kan worden genomen, of onder een hoef vertrapt. Ik ben letterlijk alle intuïtie daaromtrent kwijt. Ooit moeten zelfs wij westerlingen toch geweten hebben wat je wanneer kan planten en welke kruiden wanneer van toepassing zijn. Wat bij je past en wanneer en wanneer niet.

Heeft de wetenschap ál onze natuurlijke kennis verstopt? Zijn de dikke stroperige klonters van de kennis uit de boeken van de 'weters', die wij in onze hersencellen hebben toegelaten, zo overheersend dat we de meest normale dingen niet meer denken te weten? Het is toch te gek dat wij vrouwen handboeken raadplegen over hoe je een baby moet verzorgen. Ik word vreselijk onzeker over mijn eigen ideeën als een van die 'weters' mij zegt hoe het hoort. Niemand heeft mij als kind ooit bijgebracht dat ikzelf de dingen óók kan weten, gewoon door naar mijn intuïtie te luisteren! Iemand had mij toch moeten leren dat ikzelf van alles weet.

Alweer een oorwurm achteloos door de gootsteen laten verdwijnen, met een straal water erachteraan om het diertje extra ver naar beneden te doen glijbanen. Dat doe ik niet om oorwumpje nummer zoveel een kans op een zachte dood te geven, met als excuus dat het in veel water wellicht beter kan overleven, nee ik wil dat het wég is. Wég.
Ik krijg er een beetje genoeg van almaar spinnen en oorwurmen in stukken keukenrol op te pakken en keurig netjes uit het raam te schudden. Eigenlijk heerlijk (ondanks schuldgevoel) om er zo tussendoor eentje lekker dood te maken! Al dat lieve gedoe, ik word er misselijk van!

Ik ben moe, intens moe. Mijn hoofd zit vol en mijn lijf is loodzwaar. Alsof ik naar beneden getrokken word. Moe. Veertien dagen in de bergen om bij te komen van hard werken in twee volle banen, van kinderen, van problemen, van mensen, van drukte en verhuizing. Van denken aan, van zorgen voor.
Na een reis over een volle en eindeloze snelweg komen we aan in weilanden boordevol bloemen, de stilte van donkergroene bossen en daarboven de machtige reuzen van grijs graniet en kalk met hier en daar een toef eeuwigheid erop. Wit.
Wijder dan ooit, reusachtig.
Onder in het dal hier en daar een nietig dorpje. Geen mensen.
Geen mensen en stilte. Diep adem ik de verse ijle lucht in.
Armen omhoog gestrekt. Langzaam de lucht laten doordringen in mijn middenrif en tussen en achter alle ribben.
Ontroerd over zoveel moois, twijfel ik of ik deze weidsheid aankan. Eén dag wennen, voorzichtig. Luisterend. Luisterend naar de rivier die daar ver be-

neden het dal doorklieft en verder alleen de stilte. Dagen later, aangepast in lijf en leden aan mijn natuurlijke omgeving, loop ik door de reusachtige bossen. Zo valt er een eerste muurtje weg tussen mij en de natuur. Het mos hangt met grillige slierten uit de sparren. Het is vochtig en koel onder de bomen. Ik klim via stenen de bergheuvel op en ga met mijn rug tegen een forse spar zitten. De ogen gesloten, zonlicht door takken heen op mijn gezicht. Luisteren, ademen, voelen. Wat hou ik van dit stuk land.
Langzaam laat ik alles tot me doordringen: de diep blauwe lucht, waar je als je er lang naar kijkt in zou kunnen opgaan, verdrinken, oplossen. Eindeloos.
De toppen van de sparren en lariksen die kaarsrecht donker en lichter groen afsteken tegen al dat blauw. Daartussendoor en daarboven, de rotsen, die steile wanden en bodemloze afgronden scheppen in grillige brokken en rustige vlakken. Kleuren grijs, bruin, oker, zwarte naden.
Vogels in allerlei maten vliegen af en aan, met de speelse zekerheid van hun doel.
Temidden van al dat leven zit ik. Probeer mee te doen. Maar voel pijnlijk de afstand die de steden en de welvaart hebben geschapen waardoor de open ontmoeting onmogelijk is geworden. Ik zit op de aarde, tussen krioelend en dartelend, bruisend leven en kan als mens niet praten met alles om mij heen. En dat alles ook niet met mij. Toch voel ik de beweging in de dingen, óm de dingen ook. De ritmes, de vibraties. Het is de uitstraling van de verschillende dieren en planten en bomen, die ik waarneem. Het waarnemen alleen al is een begin van een gesprek ... Als ik nou beter waarneem, zou ik dan ook beter kunnen communiceren?
Het doet me denken aan de sfeer die je voelt als je een kamer vol mensen binnenloopt op een verjaardag bij-

voorbeeld, en je voelt onmiddellijk of die prettig of niet prettig is voor jou. Net als wanneer je een bos inloopt en de sfeer van dat bos voelt op dat ogenblik voor jou goed aan of ze past niet bij je. Die sfeer is de energie die het bos uitstraalt. Of de mensengroep op het verjaarsfeestje. De plek waar ik hier zit, voelt goed, veilig, rustig aan, heeft duidelijk een lekkere energie voor mij op dit moment. Bij een enkel individu voel je vaak nog sterker de uitstraling, de energie aan. Als iemand verdrietig is of boos, of lekker in z'n vel zit, straalt die dat ongewild uit, vaak zonder het te weten. Dat voelt voor jou op dat moment prima of minder goed, omdat het helend, aanvullend, liefdevol kan zijn of juist het omgekeerde. Bij de ene boom voel je je lekkerder dan bij de andere, omdat de energie die de boom uitstraalt wel of niet iets toevoegt. Iedereen kan dit voelen. Het vraagt alleen een bereidheid om ervoor open te staan en een zekere rust om het bewust waar te nemen. Van daaruit is het een kleine stap om te leren luisteren naar de vibraties. Het is een mogelijke communicatie met de natuurlijke wereld, net als het ongesproken contact met een dierbaar mens. Daar voel je of diegene iets dwarszit of ontspannen en tevreden is.

Een paar jaar geleden las ik een boek van een vrouw, *Behaving as if the God in all life mattered**, dat mij nu helpt te geloven in wat ik voel en zie. Zij vertelt hoe zij een sterke en doelgerichte uitwisseling met planten heeft ontwikkeld en hoe ze haar moestuin 'in gesprek' met de natuurwezens heeft gemaakt.

Ik heb een grote behoefte een of andere vorm van communicatie aan te gaan met mijn omgeving en leer mijzelf steeds meer open te staan voor de energieën. Al doende hoor, zie, voel ik meer. Ik merk dat als ik

* Boek van Machaelle Small Wright, in het Nederlands uitgebracht als *Al het leven is goddelijk, ekologie voor de Nieuwe Tijd*, Ankh-Hermes, Deventer 1985.

mij volledig concentreer, ik met mijn aandacht tot het hart van een plant kan doordringen en dan als het ware de frequentie ervan opvang. Ik moet mij er daarna ook weer heel duidelijk uit terugtrekken, om iets anders waar te kunnen nemen, of zomaar naar die blauwe lucht te kunnen kijken. Als ik dat niet doe, merk ik dat alles vaag wordt en door elkaar gaat lopen. Alsof ik een gummetje nodig heb om weer schoon te kunnen kijken en voelen.
Ik kan dit soort openheid al helemaal niet te lang volhouden, anders krijg ik hetzelfde effect. Maar hoe houd ik de communicatie open? Zó slokt het dagelijks leven mij weer op. Het zijn twee verschillende werelden. Die van de mensen en die van de natuur. Wat zich in huizen afspeelt en daarbuiten. We kennen elkaar niet meer.
Tijd vraagt het. Tijd. De natuurelementen hebben tijdloos geduld, ze staan klaar voor de open dialoog. Niet alleen onze woon- en leefwijze staan ertussen, ook onze angsten en onzekerheden. Onze schijnzekerheden. Die los te laten is werkelijk heel moeilijk. Je hart openen voor de onvoorwaardelijke liefde van de natuurlijke wereld, roept vaak weerstand op, want je hebt niet voor niets je hart gesloten in de loop van je leven. Er zit pijn in dat hart en emotioneel ben je daarom vaak ook dichtgeslagen. 'Niets aan de hand' is veiliger dan het verdriet, de gekwetstheid te laten zien, en het te voelen daar heb je al helemaal geen zin in. De pijn is immers al lang voorbij, zo meen je. De deur werd gesloten. En je denkt er niet aan dat de pijn, het verdriet nog niet is doorwerkt en daarmee ergens als een brok in je lijf blijft zitten. Met onze gesloten deurtjes wordt onze uiterlijke verschijning belangrijker dan ons innerlijk leven, dat we maar ten dele voelen. Hier in het Westen beoordelen we elkaar op onze prestaties, ons prestige, onze bezittingen en geld, onze verwor-

venheden op het gebied van de wetenschap, vakmanschap of onze deskundigheid op een of ander gebied. Al die dingen worden gewaardeerd. En zo laten we ons echte ik ternauwernood af en toe zien aan een enkeling. En bij iedere teleurstelling in werk en relatie gaan onze deurtjes een beetje meer dicht. Dat is een geweldige barrière om met wie of wat dan ook een gevoelsmatige dialoog aan te kunnen gaan. Omdat de natuur niet in woorden praat, vraagt die je om met je gevoel te communiceren. Daar ligt dus een probleem. Een knetterend onweer barst die avond los tussen de reuzen om ons heen. Bliksem helder afgetekend tegen inktzwarte lucht. De wind komt met harde zwiepen om de hoek van het huis. Nog net kunnen we zonder drijfnat te worden hout naar binnen halen. Wij steken de haard aan. Genietend. Binnen is gauw een nestje gemaakt. Warm en knus. Buiten flitst het weerlicht. Die avond voel ik opnieuw hoe veilig dit huis voor mij is. Een kleine aardverschuiving zou het enige gevaar hier kunnen zijn. Eigenlijk zou ik mij daartegen ook moeten verzekeren. Wij slapen als rozen tien uur lang.
De volgende morgen bel ik de verzekeringsman. 'Nee mevrouw, daar beginnen we in Zwitserland niet aan.' Dezelfde nacht was er een landverschuiving geweest onder in het dal. Het had een enorme overstroming veroorzaakt. Een echte ramp. Huizen waren vernield, treinen konden niet meer rijden door de kilo's modder die overal lag. Wij hebben er niets van gemerkt! Alleen gevoeld dat de mogelijkheid erin zat en verder genoten van een schitterend onweer vanuit ons nestje. Mag je genieten terwijl zich om de hoek drama's afspelen, natuurrampen verwoestingen aanrichten en er slachtoffers vallen? Oorlogen, honger, ziekte? 'Je bent niet vrij zolang er iemand lijdt', werd er gezegd in mijn politieke tijd. Is dat zo?

De bergbeek kabbelt zachtjes en gestadig door. Eeuwenoude plek. Ook hier wijsheid verzameld in bomen, rotsen, water. De zon gaat bijna onder achter de bergen aan de overkant van het dal. Daardoor ontstaat er een paars-zwarte wand met lange bundels zonnestralen over de richels van de rotsen. Ik kijk ernaar vanuit het weiland ertegenover, waar ik hoog in het laatste zonlicht zit. Ik loop naar mijn vriendin de oude lariks toe. Even hallo zeggen en kijken hoe het haar gaat. Zij staat daar breeduit en biedt al het leven onder haar stevige takken een moederlijke bescherming. Terwijl ik tegen haar aan sta, vraag ik haar zomaar over iemand die in mijn leven is gekomen. Hardop zeg ik: 'Ik weet niet wat ik ermee aan moet', en hoor: 'Laat hem los. Leer te houden van mensen, zomaar, zonder er iets mee te willen. Geniet van een mens en kijk naar hem, maak hem mee.' Een antwoord! Is dit suggestie? Maar waar komt dan dit duidelijke antwoord vandaan? Zij, de boom, heeft geen mond waardoor ze met lucht en stembanden woorden kan formuleren. Hoe werkt dit? Ik zei die woorden niet en er is geen mens in de buurt. De woorden van het antwoord vormden zich merkwaardig genoeg niet in mijn hoofd, maar binnenin mij. Ze kwamen uit mijn borstkas, mijn hartchakra. De lariks en ik kunnen dus praten samen, een gesprek voeren ... De vibraties vormen zich tot woorden.
Vol ontzag probeer ik weer met haar te 'praten'. Ik stel een vraag, maar dit keer gebeurt er helemaal niets. Ik doe een paar stappen achteruit om haar in haar geheel te kunnen zien en het valt me nu pas op hoe verpieterd ze eruitziet. Deze boom die zoveel rust en ruimte uitstraalt, lijkt te lijden onder de zure regen. Haar naalden hangen lusteloos naar beneden gericht. Het is alsof ze er geen zin meer in heeft. Gatverdamme, wat is dit treurig. Ik wil dit niet. Het maakt mij razend.

Hoe kunnen we met zijn allen er zo'n rotzooi van maken? Is er een weg naar het eerlijk delen van de aarde? Het houden van? Er zijn lieve spots op de tv, filmpjes, voorlichting. Maar ik denk niet dat dat voldoende zal helpen en vraag mij af of dit de weg is. Mensen zouden zélf weer in contact met de natuur moeten komen. Maar hoe? Voelen? Praten? Nu ik weet dat dit kan, opent het totaal nieuwe mogelijkheden. Bomen zijn kennelijk wijze wezens met oude zielen, waar we onze zorgen mee kunnen delen. Waar *wij* advies aan kunnen vragen, en *zij* ons kunnen aangeven wat goed voor ze is en wat niet. Wat hebben ze van ons nodig? Mijn hemel wat valt er veel te leren van elkaar. Ik ken iemand die denkt dat de aarde uit elkaar zal spatten. Is het onherroepelijk?

Zo, dwalend door de bossen en de hogere bergweiden merk ik dat er deze zomer een wezenlijke grens is weggevallen tussen mij en dat andere leven om mij heen.
Het lijkt wel alsof ik een dimensie dieper kan waarnemen. Eerst voel en hoor ik hoe alles vibreert. Dan het gesprekje met de lariks. Ik zie de kleuren intenser, omdat ik er als het ware dieper in kan kijken. Alsof de kleur mij in deze diepte toelaat. Ik voel me op dit moment dun en kwetsbaar, de wind zou mij zo kunnen meenemen. Er is een weerstand weg, waardoor ik ontvankelijk ben voor de allerfijnste energieën van de planten en de bloemen, de bomen, de wind, de bergen. Er zit geen barrière meer tussen al dat leven en mij in. Er is een direct contact omdat ik ineens bereikbaar ben voor de subtielste energieën. Kleuren, vibraties, geuren. Iets heel liefs. Waar komt dat zo ineens door? Ben ik zo moe dat mijn grenzen weg zijn? Mijn menselijke afstand? Kan dit werkelijk?
Het lijkt wel of alles op de een of andere manier met

elkaar communiceert, en nu begin ik daar deel van uit te maken! Het is zo simpel, zo direct en echt. En vooral, het is zo waar. Ik heb zin om alles aan te raken, te voelen met mijn handen en mijn lippen, mijn huid. Ik wil de geuren in mij opzuigen van de jeneverbessen, de sparren, de stenen in de zon, de kleinste bloemen, de vroege-ochtenddauw, de koeiemest. Die hoort er ook bij. Ik wil de wind ruiken. Overal zie ik marmotten als kleine waakdieren met de kop in de wind staan, vanuit hun schuilplaatsje tevoorschijn gekomen. Wat gebeurt er met me? De liefde van alles overspoelt mij en de tederheid golft door mij heen. Het gaat hier om iets totaal anders dan de menselijke communicatie. Het gaat dieper dan woorden en gebaren ooit kunnen vertellen. Er zit ook iets grenzeloos in, misschien komt dat omdat het hier niet over doen gaat, maar over zijn. Om de een of andere reden lijkt het een heel oud en toch heel teer 'zijn'.
Het zijn dagen van magische momenten en hevige ontroering. Een nieuwe manier van leven opent zich vóór mij. Op een middag word ik uit mijn huisje geroepen door iets buiten. Ik weet niet wat het is, maar ga kijken. Mijn hemel: daarbuiten schijnt de zon, ik sta ermiddenin, rechts van mij op nauwelijks een meter afstand zie ik de regen zacht naar beneden komen vallen en links staat een regenboog in volle glorie krachtig zijn kleuren te stralen over de hele breedte van het immense dal. Ik moet een paar keer diep ademhalen om dit allemaal te kunnen bevatten. Het is als kan op dit ogenblik álles gebeuren, alsof álles mogelijk is. Nog nooit heb ik zo intens ruimte ervaren. Vrij voel ik me, vrij. Open voor alles om mij heen. Gedanst heb ik, gedanst in de regen, de zon, en in een stukje regenboog.
En toen zei mijn agenda dat ik naar huis moest, té vroeg om dit allemaal te kunnen verwerken. Te vroeg

ook om mij op de een of andere manier een beetje te kunnen afsluiten, voor ik in het geweld van onze westerse maatschappij terug dook. Ik bleef volkomen open en kwetsbaar. Vol van de verwondering, vol van iets dat ik zó niet eerder had gekend en dat diepere lagen in mijzelf aansprak en nieuwe, ongekende mogelijkheden voor mij opende.

Thuis wachtten mij de verantwoordelijkheden. De volte en drukte van Nederland. Het viel me voor het eerst op hoe weinig ruimte er voor de natuur zelf is in ons land. Als een gek zocht ik rustige plekken in de bossen en de velden, maar ik vond altijd mensen, mensen met honden, of vieze papiertjes, blikjes, platgetrapte en afgerukte takken. Overal de zichtbare aanwezigheid van mensen. Nergens ongereptheid, nergens werkelijke stilte. De stem van de vogel was nooit omsloten door stilte. Altijd was er de ruis van een trein, het gesnerp van een overvliegende jet, het doffe achtergrondgeluid van verkeer in de verte. De druk van mijn werk was ineens ondragelijk, de tijdsdruk beklemmend, de nodige concentratie voor mijn werk kon ik met geen mogelijkheid opbrengen, ik kon me hoegenaamd niet concentreren, het lukte allemaal niet meer. Ik kon er niet meer tegen.

Iedere keer als ik in het gebouw van mijn werk binnenloop, krijg ik een druk op mijn hoofd en eenmaal aan het werk, komt er een wattige zwaarte over mijn héle hoofd. Het lijkt een soort kap, die het vreselijk moeilijk maakt om mijn aandacht gericht te houden. Met de grootste moeite houd ik mijn ogen open en doe mijn uiterste best het niet te laten zien. Dat lukt natuurlijk maar half, want we kennen elkaar te goed. Het liefste zou ik ...
Stemmetje Plicht zegt strakjes: 'Dit kun je niet ma-

ken! Je hebt je verantwoordelijkheden. Je kunt je maatjes niet laten vallen. Als je iets begint, moet je het ook áfmaken.' 'Ojé', zegt Binnen-stemmetje, 'ik ben zo moe ... ik kan niet meer. Ik wil het liefst liggen.' 'Kun je niet maken.' 'Nee, kan ik niet maken', zucht ik, en ik probeer de kap die boven mijn hoofd zweeft een lel omhoog te geven. Lukt natuurlijk niet. Een week later zit de kap er al als ik thuis in mijn auto stap om naar het werk te gaan. Wat moet ik doen?
'Eigenlijk zou je drie maanden moeten stoppen met werken', zegt een collega aan het eind van zijn 'reading'. Als eerste springt het stemmetje Plicht verontwaardigt op. 'Stel je voor, drie maanden ... En de verantwoordelijkheid dan?' 'Ja', zucht mijn Binnen-stemmetje weer, 'je hebt gelijk.'
Een week later ziet een andere collega mij op mijn werk, gaat zitten en zegt: 'Jij zou drie maanden moeten stoppen met werken, te beginnen nú.' Met grote ogen kijk ik haar aan, dit is te gek, ze zegt precies hetzelfde! 'Nou ja, dat kan nou eenmaal niet, en zeker niet zomaar. Het seizoen begint pas, er is zoveel werk ...' 'Natuurlijk kan het en wel meteen. Ik neem de eerste paar taken van je over en jij gaat nu naar huis, je neemt een lang bad of gaat wandelen, iets leuks.' Ik geloof dat ik haar met dezelfde hele grote ogen heel lang heb aangekeken, alle stemmetjes in mij zwegen van de schrik en vervolgens stroomden twee tranen langs mijn wangen. Dankbaarheid was de voornaamste emotie op dat moment. Voor de aandacht, het zomaar opvangen van de directe taken. Ik was gezien.
Ik hoefde het nauwelijks aan mijn collega's uit te leggen, ze hadden het al aangevoeld en met grote liefde lieten ze me gaan. Met de zware taak om mijn deel van het werk over te nemen.
De drie maanden werden een jaar en ik ben niet meer volle dagen gaan werken. Voor de collega's was het

niet eenvoudig, voor mij ook niet, alleen op een andere manier.
Het was een jaar waarin ik alle moeheid uit mijn lijf moest wegslapen en waarin ik heel veel leerde. Over mezelf, over de plaats die werk in je leven inneemt en waar je daardoor ook aan voorbijgaat. Niet meer werken! Bijna driekwart jaar had ik nodig om niet meer moe te zijn. Om te wennen aan de structuurloosheid. Het ontbreken van de vaste structuur van de volle agenda. Al die jaren had ik immers ieder kwartier gepland, mijn tijd zo goed mogelijk ingedeeld tussen mijn twee banen en vier kinderen en wat er allemaal bij komt. En nu ... Ik werd niet meer verwacht, miste de aardige en inspirerende collega's. Wie was ik eigenlijk? Gek dat ik tot dan toe altijd iemand was als vrouwelijke professional. Zelfs in de contacten buiten het werk ben je die professional. Je praat ervanuit, je denkt ervanuit, je leest de krant met werk-denk-ogen, alles. Hoe zagen de mensen mij nu? Als wat, als wie? Ik was professional geworden om mens te zijn met de mensen, om dicht bij mensen te staan, te delen en te begrijpen. Vroeger was ik gezien als het prinsesje, later als de vrouw van. En nu dan? Vermoedelijk gaan alle mensen die niet of niet meer werken hierdoorheen. Ik schaamde me, voelde me leeg, nutteloos, belachelijk luxueus zo altijd maar thuis. Ik meende dat ik soms de mensen hoorde zeggen: 'die heeft zeker niets beters te doen ...'. Angsten kwamen op, over het gebrek aan structuur niet alleen in mijn dag, maar ook in mijn leven. Zelf invulling aan de dag te moeten geven, die zinnig te maken, viel niet mee. Bang. In deze wereld moet je toch nuttig zijn. En dan werd er gevraagd: 'Hoe gaat het met je werk?' 'Waar ben je mee bezig?' Ahum ... ik eh heb een sabbatical genomen, om eh iets uit te werken. Een project. 'Dat klinkt tenminste interessant', zenuwde mijn Schaamte-stemmetje.

Niets doen, dat kan niet. Nuttig zijn. Volle agenda. Zinnig bezig zijn. Een bijdrage leveren. Dat is een prettig gevoel. Je hoort erbij. Met toch een veilige wand van vakkennis tussen mij en de anderen.
Nu ben ik die ik ben. Ziehier, dit ben ik dan. Dit is het. Niemand verwacht mij, niets wordt er van mij verwacht. De structuur van de dag zal ik zelf moeten aanbrengen. Het oordeel over mijzelf zal ik zelf moeten vellen. Iedere dag. Gelukkig kom ik genoeg mensen tegen, kinderen en vrienden, anders zou ik ook nog iedere dag alleen maar tegen mijzelf aanlopen.
Nu ik toch bezig was met dit loslaatproces, was het toch geen gek idee om ook maar eens te ervaren hoe ver ik kon gaan in het loslaten van álle structuren. Daarvoor moest ik dan toch helemaal alleen zijn, een paar maanden lang op een plek waar ik niemand kende en niemand mij. Een behoefte aan stilte, om weg te zijn van alle bekende vormen – werk, mensen, uiterlijk, bekendheid, vrouw zijn – hielp mij deze beslissing te nemen. Nu kwam ik niemand anders tegen dan mezelf, al die dagen. Het was niet altijd even leuk gezelschap. Maar toch was dit wat ik wilde ervaren. Ik voelde dat het nodig was, al wist ik niet precies waarom. De eerste weken waren schraal en pijnlijk. Vaak had ik helemaal geen zin om mijzelf die dag tegen te komen. Ik kon me wel iets leukers voorstellen. Het contact dat ik met de natuur had gevoeld, een paar maanden eerder, was nu anders. Minder open. Ik was alleen én eenzaam. Dagen, weken, maanden lang.
Maar door de stilte van de eenzaamheid heen begon het almaar prettiger te worden. Ik kocht schilderspullen en trok eropuit. Er ontstond een soort relatie. De concentratie op wat ik zag over te brengen op papier, vulde de dag, maar gaf ook een aanwezigheid van iets anders. De kleuren, ritmes, geuren, bewegingen, vormen, structuur, inplant, geluiden, de schijnbare stilte

van de bomen, het ruisen van de struiken, het gras, de bloemen, de luchten, de wolken, de rotsen, de aarde, de insekten, de vogels, mijn hemel! wat een leven, wat een aanwezigheid. Nu, in de stilte van het alleen-zijn kreeg dit alles langzamerhand de kans om uit te groeien tot een reële relatie. Een heen en weer. Een vraag en aanbod. Wederzijds. Iets van het eerste jubelende gevoel veranderde in waarachtigheid.
Ik doorbrak de structuur van de dagindeling door met de zesde symfonie van Mahler in mijn oren door te schilderen tot vroeg in de ochtend. Opstaan voor het dag werd, om het eerste daglicht buiten mee te maken, zittend op een rots dicht bij mijn geliefde lariks, in de bergweide waar vaak gemzen en herten komen grazen en knibbelen aan de takken en bloemen. Een thermos warme thee naast me. Nieuwe ervaringen die me dichter bij mezelf en mijn omgeving brengen. De laatste avonden zit ik bij een haardvuur, met kaarsen om me heen, zo tevreden dat ik zelfs de hoorn van de telefoon leg, uit angst dat iemand mijn rust zal verstoren.
Op de terugweg gebeurden er twee wonderlijke dingen. Ik reed over de snelweg door België, bij Sint-Job-in-het-Goor. Ik had al uren gereden en begon moe te worden. Zo écht doorgezeten, daas en moe. Ik vroeg hardop aan de zon, zomaar, om een helpende hand. Ik reed 180, o schande, en nam een flauwe bocht naar links met de weg mee, toen ik met absolute zekerheid voelde dat ik het stuur op dat moment had kunnen loslaten omdat 'iemand' of 'iets' het van mij kon overnemen en ik hoorde letterlijk: 'Rust maar uit.' Verbijsterend is het de bescherming om mij heen te voelen. Dit keer hoorde ik deze stem op precies dezelfde plaats in mijn lichaam. Weer in mijn borstkas. Er kwam, net als bij Zoro, dat gevoel van liefde om me heen, werkelijk als de aanwezigheid van een zorgende geest. Een warme gloed van herkenning en vertrou-

wen stroomde door mijn lichaam. Ik rekte mij uit en ontspande.
Vlak bij huis, gebeurde er weer iets. De zon ging onder met prachtige warme oranje stralen. Er scheen geen einde aan te komen. De allerlaatste bleven de hemel inschijnen. Ik kon het zien vanuit mijn linker ooghoek en het was zo mooi dat ik de weg af ging om het volle licht te kunnen zien. Ik stopte de auto met de neus naar de zon gericht en keek. Het leek wel of die laatste straal speciaal bleef hangen om gezien te worden. Het was zo vreselijk mooi, dat tranen in mijn ogen sprongen. Een enorme behoefte om met de zon te praten deed me hardop zeggen hoeveel ik van haar hield. Mijn hart deed pijn van zo veel houden van en ik voelde hoe de zonnestraal naar mij reikte, mij bereikte, beroerde en ontroerde. Ik hoorde mezelf zeggen: 'Ik wil nooit meer alleen zijn, zon, nooit meer, nooit meer ... Ik heb zo'n pijn gehad, zo'n vreselijke pijn, ik wil dit niet meer.' De pijn van het verdriet en de vreugde waren bijna te veel voor mijn in vergelijking kleine lijf. Ik had wel uit elkaar willen barsten van zoveel geraaktheid. Er kwam een soort troost vanuit die ene straal naar mij toe, diep mijn hart in. En ik dacht te horen: 'Dat hoeft ook niet, dat hoeft niet.' In ieder geval was ik vól met zo'n blijdschap dat alles tintelde en glom. En zo kwam ik even later thuis. Mijn kinderen vertelde ik gewoon dat ik een prima reis had gehad.

De zon schijnt, de krekels zingen, en nog steeds weet ik niet waarom wij hier (dat is het enige stukje wereld waar ik over kan praten) zo ver van de natuur af staan. Ik weet, nu ook aan den lijve, wat er allemaal tussen is komen zitten, maar waarom hebben we dit laten gebeuren? Er is een groot verschil tussen wandelend in de bossen en velden genieten van alles om je heen en

in gesprek zijn met de natuurelementen. Zoveel is mij in dit jaar wel duidelijk geworden. Nog weer anders is het als je met je handen in de aarde de planten en groenten verzorgt. Het wandelen is een soort van op bezoek zijn bij. Je loopt óp de aarde en ziet de dingen van de buitenkant. Er blijft een afstand: zij en ik. Zo ervaar ik het tenminste. Ik kijk en geniet en ben ondertussen bezig met mijn vele gedachten. Op zichzelf al heel aangenaam!
Het in gesprek zijn is een diepere dimensie. Het vraagt vooral een wederkerigheid. Een willen en kunnen luisteren en ontvangen. Het vraagt òok een openstaan voor verwondering, want de voorbeelden die je te zien krijgt, of de woorden die je hoort, zijn altijd onvoorspelbaar. Je bent niet meer de protagonist, ook niet minder. Je bent sámen. En je hebt elkaar veel te vertellen en veel te geven, vanuit verschillende startpunten. Omdat je beiden anders bent. Voor sommigen komt dit misschien heel natuurlijk. Voor mij was dit verruimd bewustzijn een verworvenheid. Als kind dartelde ik door de kleuren heen. Door alle ervaringen in mijn leven kwam ik op dit bewustzijn uit.
Wat het werken in de aarde betreft, daar weet ik helaas niet genoeg van. Waarschijnlijk doordat mij in onze samenleving niet geleerd is naar mijn eigen intuïtie te luisteren, ben ik altijd aarzelend over wat kan en niet kan in het bewerken van de aarde. Ik kan alleen maar afgaan op wat ik heb gelezen en gehoord en als je in de aarde werkt, heb je vaak helemaal geen contact met dat wat je aanraakt. Je blijft dan als het ware de meerdere als mens, baas over de planten. De planten zijn er voor de mens. Zonder de mensen zouden de planten niet kunnen groeien. En dat soort onzin. Ja, als je de planten in huis haalt, dan zul je ze moeten verzorgen. Maar buiten, daar groeit alles wel zonder jou. Misschien niet precies zoals jij dat wilt, maar toch.

Nu werk ik ruim een jaar niet meer in een vaste structuur, heb geen twee volle banen meer en mijn jongste kind is bijna uit huis. Inmiddels weet ik dat ik uit de drukte van mijn werk ben gestapt omdat ik op mijn zoektocht naar de essentie van de kosmos en alles wat zich daar in die niet te bevatten ruimte bevindt, de tijd, en dat wil in onze maatschappij zeggen: de rust, nodig had om open te gaan staan voor de ongekende vormen van communicatie. Dat maakte mijn werkwereldstructuur ineens onduldbaar. De twee structuren botsten met elkaar. De een in constante spanning, verstrikt in verantwoordelijkheden die ik mezelf vol enthousiasme op de hals had gehaald, naast de lichtheid en speelsheid van de andere: mijn nieuwe gesprekspartners. De ontmoeting met die hele natuurwereld was zo hevig, dat ik als bij een verliefdheid, geen afstand kon scheppen tussen de boom en mijzelf. Ik wilde déél zijn van dit alles, en was het liefst in het groen gaan liggen om daar te blijven liggen. Stil en dichtbij. Met al mijn poriën wagenwijd open voor de lavendel voor mijn neus, de spar, het gras. Mateloos, oeverloos overgegeven. En daarmee kwam een loodzwaar schuldgevoel: dat ik mens ben, deel uitmaak van de destructie, niet heb gezien, niet heb begrepen. Schaamte: langs deze onbegrensde liefde heen te hebben geleefd, denkend aan heel erg veel tamelijk nutteloze, vaak ook prettige dingen. Rond loop ik, in zich repeterende cirkels van schuld en schaamte. Omdat ik deel uitmaak van het mensenras, dat kapot maakt. Dat in deze mij nu meer bekend wordende natuurenergieën hakt, kapt, vervuilt, vernietigt. Zonder na te denken over het leven dat daarmee aangetast wordt en de gevoelens van dat leven. Ja, de gevoelens.* Met een walgelijke hebzucht en domme onwe-

Zie: Peter Tompkins/Christopher Bird. *The Secret Life of Plants.* Penguin, Londen 1975.

tendheid over de harmonie en het precaire evenwicht van de dingen. Willen en hebben. Natuur? Ach dat voelt niet, dat weet niet, dat is lichtjaren inferieur aan ons mensen.
Verdriet schrijnt diep door mijn hele lichaam. Nietig en klein voel ik mij naast de grootsheid en oer-wijsheid van de natuurelementen.
Zwaar is mijn hart, verscheurd tussen het kennen van de intense ongesplitste liefde, die daar overal om ons mensen heen is en waarmee we bewust samen kunnen leven, en de menselijke dualiteit, waardoor ik mij van die liefde afsluit. Ik ben zo'n mens en ik doe mee aan de vervuiling, de vernietiging.
Ik ga er zelf aan kapot.
Dat wat ik heb aangericht, doe ik mijzelf aan. Radeloos en stuurloos ben ik. Hoe moet ik met dit nieuwe bewustzijn omgaan? Het is óf/óf. Of ik maak deel uit van de natuur, zonder enige reserve. Ik voel de bloem, de boom, de energie ervan, de essentie, de straling die een bepaalde kracht heeft. Soms is die giechelig en vrolijk, soms krachtig en positief, soms ...
Of ik ben gescheiden ervan. Een ander soort mens, somber en schuldig en ik voel me waardeloos. Hoe moet ik met de scheuring, met mijn eigen dualiteit omgaan? Te kwetsbaar heb ik mij toen teruggetrokken uit álles wat ik deed, wetend dat dat niet meer in mijn wereld paste. Het enige dat overbleef, was mijn volle vertrouwen dat ik deed wat goed voor mij was en een onvermijdelijk gevolg van mijn keuzen. De twee realiteiten, of twee niveaus: die van zijn en die van doen. Ik werd mij het schrijnende verschil tussen de wereld van het 'doen', de mensen eigen in onze westerse maatschappij, en die andere wereld van het zijn, van waaruit de natuur leeft, steeds meer bewust. Zo bewust zelfs dat de vraag of ik nog wel *kon* leven in deze wereld zich onvermijdelijk opdrong. Een wereld waar

alles schijnt te draaien om wie we *niet* zijn, maar moeten zijn om wie dan ook te behagen. Als het je ouders niet zijn, dan is er altijd wel iemand die als verlengstuk van je ouders fungeert en aan wiens eisen je probeert te voldoen. Of juist het omgekeerde, wat op hetzelfde neerkomt. En dan ben je er *zelf* van overtuigd dat je zo moet zijn en niet anders. Een wereld waar zo bitter weinig respect voor elkaar is en nog minder voor het leven van de natuur-wereld. Een wereld waar de natuur geen recht van spreken heeft. Het natuurlijke in onszelf ook niet.
Zou het niet veel heerlijker zijn die onvoorwaardelijke liefde in te stromen? Die liefde die bestaat uit een realiteit van de niet-dualiteit, het ongesplitste goed en kwaad, oftewel het oordeel-vrije deel van het levende op deze aarde. Oordeelvrij. Een liefde die verbonden is met al het leven, het licht, de oerbron? Mezelf daarin te laten wegvloeien? Hoe moest ik verder leven in deze afschuwelijke wereld, nu ik de enorme liefde had leren kennen? Ik voelde scherp wat het betekent om een mens te zijn, die niet anders kan dan wankelen tussen de twee polen goed en kwaad. En alle nuances daartussenin. Met de keuzen die we voortdurend moeten maken om te leven en te overleven. Vol oordeel en angst. Steeds in strijd met onze grenzen, beperkingen en machteloosheid. Met onze tegenstellingen. Altijd bezig met wat we gisteren deden en morgen moeten doen. Zelden in het rustpunt van het nú. Mens te zijn met ons verdriet, ons verlangen, de zucht naar vernietiging en macht, de pijn. De lelijkheid waar we toe in staat zijn.
Het begrijpen én intens voelen van de kracht die uitgaat van oordeelloze liefde deed mijn kennis over de complexiteit van het mens-zijn net zo groot naar voren komen. Net zo groot! Het licht van de liefde deed de schaduwen vergroten.

Nog nooit was ik zo dramatisch in contact gekomen met de uitersten van de dualiteit. Ik kon er niet meer tegen. De tegenstelling in mijzelf was ondragelijk. Onontkoombaar voelde ik mij omlaag gaan, een bodemloze put in, waar alle ellende van de wereld samengeklonterd scheen te zijn. Ik hoorde daarbij. Ik ben immers mens. Wat er nu gebeurde was iets merkwaardigs, want onbekend voor mij: ik kwam in een echte depressie terecht. Iedere ochtend werd ik wakker met het gevoel van totale hopeloosheid. En ik sliep ermee in. En verdriet, verdriet en nog eens verdriet. Over de wereld, het leven, de aarde, mijn aandeel, mijn leven. De mensenwereld met de verwoestingen, het smerige geweld, de leugens en hypocrisie, de ongelijkheid, het gezoek en geploeter. De verwondingen door verbroken relaties, teleurstellingen, gebrek aan respect op alle fronten. De schijnbaar eindeloze slechtheid van de wereld waar ik een deel van ben en waarbij alles lijkt te worden opgeofferd aan vooruitgang. Welke vooruitgang in hemelsnaam? O ... waarom, waarom ...?
Ergens in mijn achterhoofd wist ik dat ik hier weer uit zou komen, dat dit een soort dood was waar nieuw leven op volgt. Intussen en ondanks alles bleef ik een mateloos en totaal vertrouwen hebben in de zin van alles. Maar een hand van iemand zou niet gek zijn. Mijn eigen lelijkheid, mijn deel aan de vernietiging van de aarde, mijn troep wilde ik onder ogen zien en verwerken.

Op een zonovergoten nazomerochtend ga ik voor een zachtwitte volle roos staan en vraag haar om vergiffenis. Ik wéét dat ik niet de hele mensheid ben en dat vergeven niet de menselijke natuur-gegevenheid zal veranderen, maar toch ... ik heb dit nodig. Ik wil mijn deel aan het geheel uitspreken. Alle emoties laat ik de vrije loop. Zíj straalt mij tegemoet. En alweer voel ik geen enkele scheiding, we zijn één. Ik verdwijn als het ware in haar. Als balsem op de tot het bot openliggende wond van mijn schuld aan haar, aan al het léven. Deel van de verschrikkelijke verschrikking. Zó, samen één, voel ik mij even niet zo erg de afgescheiden mens. Dagenlang benader ik dan weer de acacia, dan weer een berk, een geurige roze roos, een appelboom, om één ermee te zijn.

Net zolang tot ik begin te begrijpen dat ook ik als mens een essentieel deel vorm van het geheel. Dat het nutteloos is je minder te voelen en schuldig, omdat het geen enkele positieve bijdrage levert. De vermogens in de natuur, in de mensen en in de elementen, zijn denk ik bedoeld om samen te werken, ieder even belangrijk als het ander. De verschillende startpunten geven juist het unieke en niet voor niets ontstane aandeel in een gigantisch samenspel. Juist de verschillende taken van de mens en de planten- en dierenwereld dragen niet alleen bij tot het leven op aarde, maar ook tot de groei van de kosmos, het alomvattende. Ieder met zijn eigen specialiteit. Precies zoals de verschillen in cultuur in de wereld bijdragen tot de groei van ons mens-zijn.

Nu ik dit begrijp, hoor en zie ik dingen die nieuw voor me zijn of onverwacht. Ik stel me op als nieuwsgierige medebewoonster van het kosmische geheel der dingen, wat het heerlijke voordeel heeft dat ik niet verantwoordelijk ben voor het zogenaamde voortbestaan van de plantenwereld, maar dat ik liefde krijg en wijze lessen en dat betekent een hoognodige voeding. Het is het sap van mijn leven. Dan sta ik op een dag heel anders tegenover die roos: helemaal ik, en de roos daar als iets anders, zichzelf eigen. Ik hoef me niet meer in haar te verliezen. We zijn vrij van elkaar en tóch samen, verbonden in vrijheid. Schuld begint plaats te maken voor kracht. De roos kan dingen die ik niet kan, zoals simpelweg mooi zijn, onbaatzuchtig

liefhebben en onvoorstelbaar lekker ruiken. De roos leeft altijd en alleen in het nu, kent geen gisteren en morgen. Zij voelt (de bewijzen daarvan kennen we uit allerlei proeven), maar kan niet oordelen. Bij het ontbreken van dualiteit, van keuzemogelijkheden, valt het oordeel weg. Er is alléén liefde. Gevoelens zonder oordeel. Je kunt nooit en te nimmer afgekeurd worden door wat dan ook in de natuur. En toch kent daar alles de pijn en wordt ons verdriet meegevoeld, in het nu. Ik daarentegen kan denken en kiezen, ik zal wel nooit helemaal oordeelvrij zijn, ik kan mij verplaatsen en dat kan zij niet. Ik ken angst en mijn pijn is onlosmakelijk verbonden met verleden en toekomst. Mijn taak is wellicht moeilijker door mijn denkvermogen. Door mijn keuzemogelijkheden tussen maken en breken. Maar, daardoor heb ik als mens een onvoorstelbaar creatief vermogen.
Mijn gevoeligheid wordt weer hanteerbaarder, nu ik mijzelf opnieuw een volwaardige plaats gegeven heb. Dat is mijn startpunt geweest voor een gelijkwaardige dialoog met de natuur en al de levensvormen daarin. Met het gevolg dat ik mijn leven en werk voortaan richt vanuit het diepe respect voor ál het leven. Werk en ruimte voor stilte vonden een evenwicht. Gelukkig werd het voor mij geen óf/óf, maar een én in de wereld staan en werken, én met de subtiele taal van al het lévende in contact staan. Ik wist nu van binnenuit dat niet alleen alle mensen van elkaar ongelofelijk veel kunnen leren, door de culturen heen, maar dat al wat leeft op deze aarde met elkaar communiceert en van elkaar te leren heeft en dat de natuurlijke wereld die natuurlijke aansluiting, het contact, met ons mensen mist. Het ligt (en vliegt en staat en zwemt en loopt en kruipt) zomaar op ons mensen te wachten.
In dat jaar van diepe dalen en nieuwe inzichten, midden in het grote zwarte gat in het midden – gek om in

een duistere put te zitten en te weten dat je er straks weer uit zult komen –, dacht ik aan Martha, psychologe. Zij stond buiten mijn dagelijks leven, ze was bekwaam, ik kon haar vertrouwen. Dat wist ik van een vroegere workshop van haar. En zo vertrok ik naar de Verenigde Staten, naar een oude vrouw die mensen over drempels heen helpt op hun weg naar verandering.

III
Een keuze

'How can one begin to overcome the Eeyore Within, and thereby begin to counteract the Eeyore Effect? We will go to that in a moment, but first ...'

Benjamin Hoff, *The Te of Piglet*

Het is zes uur 's ochtends, Europese tijd, als ik uit de kou een warme keuken binnenrol. Vijftien uur ben ik onderweg geweest om Martha Kilby op te zoeken. Deze vrouw, in wier workshop in Engeland ik, samen met vijftig andere mensen, vol bewondering had meegemaakt hoe wij ons door blokkades heen konden werken die ons ervan weerhielden om te léven. Zij leerde ons dat je je pijnlijke troep beter in je leven kwijt kan dan ermee dood te gaan. Dat de overgang naar de dood daardoor een dóórgang kan worden. Het was een diepe ervaring geweest en Martha en ik waren in de jaren daarna steeds dichter tot elkaar gekomen. Op de lange houten tafel staat het vol met eigengemaakte jam, zelfgebakken koekjes, kleurige trommels en bloemen. De warmte komt uit een grote ouderwetse ijzeren kachel op pootjes en met deurtjes, waardoor houtblokken geduwd worden om te stoken. Naast de muurtelefoon hangen slordige lijsten met telefoonnummers en kleine aantekeningen. Een stompje potlood bun-

gelt aan een stukje touw ernaast. Donkerrossig houten wanden en banken omsluiten de gulle tafel. Kleine ruitjes waardoor de nacht te zien is, buiten. Het is twaalf uur 's nachts Amerikaanse tijd. 'En vertel me nu waarom je bent gekomen', zegt mijn gastvrouw. Dit zijn de laatste dagen van het jaar en haar enige vrije week. Ze is alleen, ze heeft tijd, ze weet uit mijn brief dat ik oude onverwerkte stukken uit mijn leven met haar wil uitwerken. Ze weet ook dat dat te maken heeft met een fase in mijn leven waarin ik alles aan het herwaarderen ben. Mijn hemel, waar moet ik beginnen? Voor mijn daze, van de reis versufte kop, aan de andere kant van de aarde, bij een vrouw die ik in jaren niet meer heb gezien, komt de vraag te direct op mij af. Waar zit de essentie van mijn reis?
'Het is een lang verhaal, Martha. Het begon vorige vakantie, in de bergen van zomers Zwitserland. Ik was werkelijk doodmoe, maar besefte dat nauwelijks. Ik had twee heerlijke banen waar ik mij volledig voor inzette, met al mijn enthousiasme en creativiteit, en die de nodige verantwoordelijkheid met zich meebrachten. Daarbij zaten mijn vier kinderen tegelijkertijd in hun puberale jaren en confronteerden mij met heel wat uitdagingen. Ik had ook niet het gevoel dat ik een vakantie nodig had. Alles ging prima. Ieder kwartiertje van de dag was ingedeeld en werd benut. Als alleenstaande ouder komen alle verantwoordelijkheden op mijn schouders terecht. Ik vind het lekker om alleen te kunnen beslissen, maar het is wel veel. Daar was nog een verhuizing bovenop gekomen, met een verbouwing. Eigenlijk als een vierde baan. In veertien dagen vakantie ontdekte ik hoe kwetsbaar ik op dat moment was, hoe moe. Mijn façade van efficiënt zijn, alert, gericht op doen en beslissingen nemen, er zijn voor anderen, viel weg. Ik knapte af.
En toen gebeurde er iets wonderbaarlijks: ik raakte in

diep contact met de natuur. Het was er ineens, zomaar. Als een groot cadeau. Ik besefte dat ik hier deze jaren naar toe had gewerkt, naar gehunkerd en verlangd had. Het gekke is dat ik ergens altijd wel had geweten dat er een open communicatie met álles om mij heen mogelijk moest zijn. Als kind in mijn verbergplekje was ik dicht bij het natuurlijke leven om mij heen geweest. Maar daarna was er zo veel gebeurd waardoor ik mijn hart steeds meer had toegedekt. Mij van de natuur had afgesloten. Daarom wil ik graag deze dagen wat oud zeer met je doorwerken.' Met een grote zucht kijk ik Martha verwachtingsvol aan.
Ja, daar was het begonnen. In Zwitserland was er iets in mij opengebroken waar ik een leven lang naar had verlangd. Dichter bij de essentie van het leven te staan. Via verschillende wegen en zijwegen was ik op mijn levenspad nu hier beland. Met als consequentie de keuze, of was het in dit stadium nog wel een keuze, mij open te stellen voor een heel ander leven. Want het was duidelijk dat mijn leven aan het veranderen was, met alle gevolgen van dien. Hoe dat leven eruit zou gaan zien was allerminst duidelijk, want ik had me op een voor mij onbekend terrein begeven. Zonder voorbeeld.

En daar zit ik dan in het holst van de nacht tegenover haar. Ze kijkt me aan en zegt: 'Ongelofelijk dat jij dan juist nu bij mij komt.' Zij is ervan overtuigd geraakt dat onze communicatie met de natuur van wezenlijk belang is, omdat de wereld anders zal vergaan.
Háár grote zorg: door het gedrag van de mensen zal de aarde door natuurrampen verwoest worden, de mensheid zal erbij omkomen, massaal. Mensen hebben de aarde zodanig vervuild, misbruikt en miskend, dat de vulkanen weer gaan spugen, de oceanen het land zullen overspoelen, stormen de grootste verwoes-

tingen zullen aanrichten. Nog dit jaar zal een vloedgolf uit de oceaan omhoog rijzen en aan de kust van San Francisco de hele boel vernietigen, aardbevingen zullen volgen ... De aarde is kwaad, zegt ze. Alleen een enkeling, diegenen die in werkelijk open contact staan met de natuur, zullen overleven. 'Zoals jij en ik.' Oef. Ik zit erbij en hoor dit aan.
Het is een lekker hapje voor mijn schuldgevoel als mens tegenover de aarde, als deelgenoot aan de vernietiging! Martha zegt dat ik daar niet bij hoor, nu ik praat met de natuur ... Dit is heel eng ... Dit klopt niet ... Mijn verwarring wordt er alleen maar groter door. Eén ding weet ik heel zeker en ik zeg geprikkeld: 'De aarde heeft geen oordeel en kán daarom niet kwaad op ons mensen zijn.' En wat ik niet zomaar hardop durf te zeggen is, dat ik niet hou van elitair denken. We besloten te gaan slapen en de volgende ochtend verder te praten. Zij in haar huisje, verderop waar de wilde bossen beginnen, ik waar ik ben, alleen. Na een ontbijt en een eenzame ochtendwandeling, door een wel heel troosteloos landschap, zie ik Martha met haar jeep aankomen, uit haar holletje. Of ik alles wel gevonden heb, of de kachel gestookt is? Inderdaad werd ik vanmorgen gewekt door een zeer kordaat geluid van zekere handen die een geroutineerde handeling verrichtten. Ik wist alleen niet wát ze deden. Wel was het warm toen ik beneden kwam in de weldadige keuken.
Tegen de middag nestelen wij ons op een bank in één van de kleine donkere kamertjes, om te beginnen met waarvoor ik gekomen ben. Ze vraagt mij om te praten, gewoon maar te beginnen met wat er in me opkomt. Maar al heel gauw neemt ze het van mij over en blijkt dat zij háár verhaal kwijt wil. Ze is woedend dat zíj geen direct contact heeft met de natuur en de energieën die onzichtbaar aanwezig zijn. 'Iedereen heeft

contact met de "wezens" en ik niet!' Ik denk dat ze een grapje maakt, maar ze is écht kwaad. Samen met Elsie maakte ze al jaren contact met de ongeziene energieën via dat tafeltje of ze vraagt via een medium om antwoorden op haar vragen. Maar rechtstreeks communiceren kon ze niet. 'Ik hoor niets, niets!' Het verhaal over de natuurrampen had ze gehoord van een medium waar ze veel mee werkte.
'Wat hoor jij als je hier rondloopt? Is er iets dat ik moet weten?' Ongeduldig trekt ze me mee, hop de jeep in en naar haar huis. Ze wil dat ik luister naar wat haar lievelingsboom te zeggen heeft. De eik waar ze haar huis naast gebouwd heeft en die nu aan één kant ziek geworden is. Als ik iets móet horen, als iemand bepaalde verwachtingen koestert, krijg ik het benauwd. Het is een tegenstrijdigheid met de rust en diepe verbondenheid van de communicatie. Ik vraag me af of ik dit wel wil. Gebruikt zij mij nu? Ja, natuurlijk doet ze dat. Maar het is een vervelend gevoel om haar te weigeren. Zo van: ik kan dit wél horen en jij niet. Alsof er ineens een machtsfactor meespeelt. Maar bewijzen dát ik het kan is doodeng, daar gaat het gewoon niet om. Met enige aarzeling zeg ik hallo tegen de oude eik die daar vlak naast haar huis met knoestige ruwe takken kaal naar de ruimte reikt. Ik vraag waarom hij aan de ene kant stervende is, want dat is zichtbaar. Ik hoor het antwoord als een stem die in mij resoneert. Die stem zegt: 'Ik heb het nodig dat Martha mij zegt dat ik niet hoef te lijden omdat er om mij heen geleden wordt.' Het lijkt in eerste instantie zo onbeduidend door de simpelheid van de waarheid ervan. En omdat dit alles nog heel nieuw voor me is, twijfel ik natuurlijk of ik het wel goed hoorde.
Martha's reactie is dan ook een spontaan: 'Nee, natuurlijk niet! Lieve boom, natuurlijk niet', richt ze zich hardop tot de eik. Zie je wel, denk ik, ik kan ook

niet goed luisteren door al dat gedoe van haar. Maar naarmate de dag vordert, dringt het duidelijker tot me door dat ik het héél goed heb gehoord. Lijdt Martha niet onbewust mee met het lijden van anderen? Gaat ze er niet in mee en haar omgeving erbij? Een zware druk wikkelt zich om mijn maagstreek en hoofd heen. Ik krijg het vreselijk benauwd.
Het is de laatste dag van het jaar.
We besluiten het oude jaar vaarwel te zeggen op Europese tijd. Zij houdt niet van champagne, ik heb het excuus van een jetlag, dus waarom ga ik niet gewoon vroeg naar bed?
In werkelijkheid ben ik misselijk door de zware druk op mijn maag. Ik voel me hartstikke alleen. En kwaad. En teleurgesteld. Die Martha die heeft op dit moment misschien eerder zelf aandacht nodig dan dat ze die kan geven. Ik heb absoluut geen zin meer om mijn rotstukken met haar door te werken en ik voel dat dat ook helemaal geen zin heeft; maar ik ben er wel de hele oceaan voor overgevlogen. Ik word steeds verwarder. Waarom ben ik dan hierheen gekomen? In déze week, bij déze vrouw? Het had zo'n goed idee geleken en veilig. Het tegendeel is waar. Ik heb mezelf in een val gelokt.
Het is koud boven en het water van de douche stinkt naar zwavel, of is het riool? Ik kan dat nooit uit elkaar houden.
Naar bed? Lezen? O, wat is het hier koud!
De telefoon. Godzijdank is er een telefoon, ik weet zeker dat ik er een heb gezien daar ergens in die andere ijskoude bovenkamer. Zelfs in dit verlaten oord is er toch een mogelijkheid om te communiceren. Contact maken met iets dat bij mij hoort. Iets warms en bekends. Al ben ik helemaal alleen in dit mensverlaten krakkemikkige houten huis, toch voel ik mij schuldig dat ik met de buitenwereld wil praten. Wat

geeft mij het gevoel dat ik iets slechts doe? Door wie word ik bekeken? Kom op. Ik kan best een vriend bellen om gelukkig nieuwjaar te wensen. Daar zijn telefoons toch voor? Dit lijkt wel het einde van de wereld, maar de mensen waar ik van houd zijn óók ergens. Mensen? Er is er maar één die ik op dit moment wil horen, heel dichtbij wil horen. Met bevende vingers van de kou draai ik het lange nummer. 'Hallo, met mij', hoor ik aan de andere kant. Oef ..., wat klinkt dat fijn, precies wat ik nodig heb. 'Gelukkig nieuwjaar', en al mijn ellende stort ik erachteraan uit. 'Het is hier koud. Ik zit in een houten huisje in een of andere uithoek. Wat? Ik zit bij Martha. Ja, helemaal alleen. Voor een week.' Een diep-luisterende stilte aan de andere kant. 'Zij woont een eind verderop in een bos. Ik wilde haar vertellen hoe het met me gaat.' 'Waarom zij?' 'Nou ja ik denk, of ik dacht in ieder geval', voeg ik er zacht aan toe, 'dat ze de persoon bij uitstek is met wie ik die oude stukken kan doorwerken. Ik wil daar van af. Zij ...' 'Wie?' 'Martha, zit zelf met van alles. Ze maakt zich enorme zorgen over de aarde. Voorziet natuurrampen. Zij vertelde over haar absolute overtuiging dat de aarde kapot zou gaan door de verwaarlozing, het misbruik ...', en zo vertel ik het hele verhaal, tot en met dat wij meegesleurd zouden worden in de vernietiging. Behalve een paar dan, een soort Ark van Noach.

'Dat mag ze helemaal niet zeggen. Ze praat over een stervende aarde. Ze is meer bezig met dood dan met leven. Maar jij, wil je dat? Pas op Irene, je komt terecht in een web. Ze is natuurlijk almaar bezig met zieke mensen die ze helpt sterven, al die negatieve energie van angst en ziekte blijft daar hangen als zij die niet weg laat vloeien. Het lijkt of ze dat juist vasthoudt met haar gedachtengang. Zo helemaal alleen kan je er in verstrikt raken. Ze is een brug te ver.'

Ineens zie ik het heel duidelijk voor me, en begrijp wat er gebeurt. Martha heeft schijnbaar ooit de keuze gemaakt om niet meer te genieten van het leven, niet meer te houden van het leven. Mentaal was ze ervan overtuigd dat de ene mens niet hoeft te lijden omdat een ander het moeilijk heeft. Niets was meer waar! Je helpt er niemand mee als je jezelf vleugellam maakt omdat een groep mensen onderdrukt wordt. Als je ziek wordt met de zieken. Ellendig met het verdriet van de ander. Ernaast zitten, luisteren, er zijn, dát is waar ook met name Martha in geschoold was. Onvermoeibaar kon ze luisteren, er zijn. Los, juist los van het verdriet van de ander. Daarmee help je de mens in nood. Dát was en is nuttig. Maar op den duur was zij door de veelheid van ellende op deze aarde, en de kennis over en van de wezensvolle wereld ná de dood, meer bezig met dáár dan hier. Het leven. Zij leed niet met de lijdenden, maar ze was al uit het leven gestapt. Ná de dood was de grenzeloze liefde. Dáár waren de gidsen, waar ze via haar mediums mee praatte. Dáár is een wereld waar ze naar brandde van verlangen. Deze aarde zag ze eigenlijk alleen nog als een kwelling. Zij kon er niet in leven. Vandaar de verhalen over het einde van de wereld, de verwoestingen, de kwade aarde. De eik deed met haar mee. Had als het ware haar keuze overgenomen en trok zijn energie terug naar daarginds, waardoor hij hier stierf. Was dit niet precies dezelfde keuze waar ik voor stond? Was dit niet exact waar ik voor was gekomen?
Ik zat in de val van mijn eigen keuze. Onherroepelijk.
Wat wil ik verder?
Hoe kán ik verder?
Waar gaat het mij om?
Waar wil ik mij op richten, met alles wat ik nú weet?
Is het een of/of keuze? Het leven of wat daarna komt?
Hij heeft gelijk, het is gevaarlijk voor me in zo'n fun-

damenteel moment van beslissing daar afgezonderd te zijn. Zijn stem praat verder: 'De aarde is geduldig. De aarde is liefde en we gaan niet kapot. Stel je voor, zij slaat de eigen, vrije wil van mensen over. Wat we kapot kunnen maken, kunnen we ook weer helen. Dat is het juist. Het gaat om keuzen. De aarde gaat nóóit kapot. Als die kapot zou gaan, dan zou ik het weten', lacht zijn stem, 'jij ook. Wie zouden er dan overblijven, zij en wie nog meer? Ik zou daar helemaal niet bij willen horen!' Stilte.
'Hoe lang wilde je daar blijven?' 'Een week ...' 'Dat is lang.' 'Ja ...' 'Kijk goed om je heen!' Dag, dag lieve onverwoestbaar positieve vriend. Dag daar ver weg, maar nu warm bij mij vanbinnen. Dank je voor je beelden, je steun en helderheid, je vrijheid en je deelzijn van mij. Maar ik zit hier nou eenmaal voor een week, ik kan toch niet zomaar weggaan?
Nou ja, misschien zit ik hier om mijn eigen negativiteit kwijt te raken temidden van al de aanwezige negativiteit. Soort zoekt soort. Dan kan ik het hier ook achterlaten. Dat wou ik toch? En daarbij, ik kan toch niet weg? Dat kan ik niet maken. Ze heeft tijd voor mij gereserveerd, wie weet wat allemaal afgezegd ... Ik besluit te blijven. In dit geval geen vrije keuze, maar één die voortkomt uit normen van beleefdheid. Toch: een keuze.

IV
Waakdroom

'In the autumn night
When there's no wind blowin'
I could hear the stars falling in the dark
When you find what's worth keeping
With a breath of kindness
Blow the rest away.'

Robby Robertson, *The Red Road Ensemble*

Er is nog iemand die ik bellen wil om gelukkig nieuwjaar te wensen. Weer draai ik een nummer, iets minder lang dit keer. Zij is er óók. Op het moment dat ik haar stem hoor vragen hoe het met me gaat, knallen mijn emoties naar buiten. 'Het gaat niet goed met me. Ik weet niet of ik de negativiteit om me heen aankan in mijn eentje. Ik zit hier nog een week. Ik ben eigenlijk verdomd bang. Misschien moet ik hier zijn om mijn eigen negativiteit de kans te geven eruit te komen. Soort zoekt soort ...', en ik vertel weer álles over mijn bezoek aan Martha ...
'Dat is maar de vraag. Het kan ook zijn dat het daar echt niet goed meer voor je is. Jij weet hoe je alleen door dingen heen kan werken. Je hebt er de kracht ook voor. Je kan dat alléén doen op je eigen moment in je eigen ruimte. Als je niet wilt blijven, ga je weg. Dat heb je toch wel vaker gedaan? Ik dacht zelfs dat je dat heel goed kon', zegt haar zachte heldere stem met een glimlach.
'Misschien heb je daar geleerd wat je wilde leren.' Ik

voel hoe haar stem en woorden mij ook nu weer raken, mij precies het duwtje geven dat ik nodig heb om bij mijn weten terug te komen, uít de beleefdheidskeuze. Uit de keuze die van mijzelf is afgekeerd. Nu weer terug naar mijn eigen innerlijke stem. 'Je hebt gelijk. Ik kan weg. Ik kan altijd weg. Ik vind wel een manier om bij het vliegveld te komen en tickets en zo. Ja, ik kan natuurlijk weg. Morgen vroeg ga ik.' 'Als je geen zin hebt om alleen thuis te zijn kun je hierheen komen. Ik werk wel, maar je weet dat ik altijd tijd voor je heb. Wat ik je hier kan aanbieden is de oceaan, eindeloos water, geluid van golven, ruimte. Je bent welkom.' 'Ik ga naar huis, dank je. Heel, heel lief. Ik bel je graag om te vertellen hoe ik mijn terugreis heb geregeld.' En dan steeds zachter: 'Dag, dag, dag ... en een gelukkig nieuwjaar.' Klik, weer die warmte van contact, van elkaar hóren. Wonderlijk deze twee mensen op deze avond bereikt te hebben. Twee creatieve realisten. De ene heeft het overkoepelend overzicht en houdt mij daarbij centraal, de ander luistert en legt mijn kaart open, beiden raken mijn innerlijke krachtstroom.
Morgenochtend ga ik alle nummers bellen die ik maar kan bedenken om hiervandaan te komen. Ik vind wel een weg. Niks beleefdheid. Het gaat hier om iets belangrijkers dan dat. Mijn besluit is genomen en ik voel me nu al een ander mens. Ik kan weer ademhalen. En ik zie verdorie mijn eigen adem, zo koud is het. Met al mijn sokken aan kruip ik in bed.

Het is ijskoud en ik lig in een vreemd bed
in een vreemd land
tussen de werelden en de tijden in
tussen oud en nieuw
tussen dag en nacht
tussen waken en slapen
helemaal alleen

slechts twee wonderlijk grote logge sint-bernhardshonden houden buiten de wacht.
Vermoeid sluit ik mijn ogen, slapen wil ik, eindelijk slapen.
Maar in het zwart van de nacht zie ik iets groots en donkers boven me hangen, dat langzaam de vorm aanneemt van een reusachtige en heel erg dodelijke tarantula. De harige poten reiken naar mijn nek, dichter en dichter bij.
Met mijn gedachten probeer ik een schild te plaatsen tussen mijzelf en de reuzenspin. Maar de spin wordt daar alleen maar feller door. Hier heb ik geen zin in! Ik ga morgen weg, ik heb geen zin in deze rotzooi. Ik word écht kwaad en zeg hardop dat ik dit niet wil! Ik tast naar het lichtknopje dat ergens naast het bed moet zitten, vind dat en knip het nachtlampje aan. Aah, er is niets, natuurlijk is er niets. Alleen rotbeelden in dit rotoord! Verdamme! Ik sta op en ga een plas doen.
Nu voel ik pas hoe koud de vriesnacht is en hoe door en door koud ik ben. Ik haal wat extra dekens erbij, hopend dat dat het bed wat comfortabeler zal maken. Ik wil slapen. Ik kruip weer onder de dekens en vastbesloten om nu gewoon te gaan slapen, knip ik het licht uit.
Tot mijn vermoeide ontsteltenis zit de spin daar nog op mij te wachten ... Nu verschijnen er ook beelden van krioelende slangen en doodshoofden. De ene na de andere komt voorbij en kijkt mij aan. Het is duidelijk dat hier geen ontkomen aan is, als ik hier niet naar kijk en doorheen ga. Al het kwaad, de verrottingen, de ziektes van de mensen komen als beelden aan mij voorbij. Handen proberen mij te grijpen ... Kleverige slijmerige dingen zoeken mijn lichaam. Als een zo klein mogelijk balletje ellende kruip ik ineen, en voel de koude alom doordringen tot in het binnenste

van mijn botten. Om mij heen hoor ik hoe het kraakt, daar in de linker hoek, achter de houten wanden, boven mij op het dunne dak schuift heel duidelijk iets. En nou beginnen de honden op het erf hevig te blaffen, als tegen een stroper of een dief of iets engers ... Martha zei dat ik nergens bang voor hoefde te zijn, tenzij de honden blaften ...
In een flits begrijp ik dat ik dit alles al heel vroeg in mijn leven heb toegelaten en dat het nu dus ook een deel van mijzelf is wat daar om mij heen krioelt. Als ik dat niet accepteer, zal ik gegrepen worden, definitief. Als een slang zijn huid begin ik mijn eigen narigheid los te laten. Stukje bij beetje. Herinneringen komen als waanzinnig heldere diapositieven langsglijden, met portretten van mensen die daarbij horen. Mensen waar ik kwaad op ben, momenten van razende jaloezie, situaties van onuitgewerkte angsten en woede, gekrenktheid, bekrompenheid ...
Midden tussen deze beelden door schuiven de gezichten van de vrienden waar ik zonet nog contact mee had, als een soort troosters voorbij. Met daarachter het beeld van een spichtige man, één magere schouder omhooggetrokken, in groezelig wit gekleed, in een rolstoel met hoge wielen die hij met zijn magere knokige handen omklemt en met kracht voortduwt. Hij is advocaat. Hij klaagt de wereld aan, de vervuiling, de destructie. Ik voel hoe mijn lichaam zich langzaam ontspant bij iedere herkenning, bij iedere begroeting van mijn eigen angsten en inzichten in wat ik vanuit die angsten gedaan heb. Mijn reacties erop. Het is van een ongelofelijke duidelijkheid: waarom ik handelde zoals ik heb gehandeld. Er stroomt een golf van mildheid richting mijzelf, veroordeling maakt plaats voor zachtheid. Langzaam, heel langzaam en voorzichtig kan ik het ene been en dan het andere strekken in dat bed, mijn rug ontspannen, mijn schou-

ders, mijn armen. De angst is weg. De tarantula ook. En de slangen, de doodskoppen, de vingers, de dingen. Ik heb inderdaad een huid afgelegd. Dwars door de schaduwzijde van de slang, het dodelijke gif, ben ik heen gegaan. Wat is er aan de andere kant?
De kracht van de levensenergie voel ik door mij heen stromen, het levenssap begint als een heldere bergbeek de plaats in te nemen van het uitgewerkte vuil. Steeds meer ruimte neemt het in. Ik begroet deze tegenkracht met heel mijn wezen, de tinteling van het levende, van beweging, van groei. Even sterk als de beelden eerst buiten en om mij heen waren geweest, komt nu van binnenuit en door mij heen de kracht van de levensvreugde. Míjn kracht, míjn levensvreugde! Hier ben ik helemaal op eigen kracht doorheen gekomen!
De reis naar Martha was niet voor niets. Ik was in de fuik van de dood gelopen en had daarom de stervensbegeleidster gezocht, om mijn eigen levenskracht tegen te komen, dramatisch en duidelijk. Met de rug tegen de muur moest ik wel tot een keuze komen. Natuurlijk kon ik dit alleen maar alleen doen. Door wat een prachtige opeenvolging van groeielementen ben ik deze laatste twee jaren heen gegaan: de ontmoeting met de natuur, de twijfel en depressie ten opzichte van mijn menselijke dualiteit. Eerst diep gezonken in het donker van mijzelf, en daarna de confrontatie met de dualiteit aangegaan en gekozen, onweerstaanbaar, voor het leven. Het leven in alles. Mijn god, wat ben ik krachtig.
Deze nacht is er iets definitiefs gebeurd.
Het is stil. Ik zucht en ontspan mij nog meer.
Alleen de honden blaffen nog af en toe. Ik luister met aandacht naar ze. Waar blaffen ze naar? Het lijkt alsof ze blaffen naar hun eigen echo in de immense ruimte. Heb ik dat ook niet gedaan? In gedachten vertel ik de

twee grote sint-bernardshonden buiten dat het voorbij is.
Nu is het helemaal stil.
De vriesnacht is veranderd in een heldere dag.
Ik sta op, pak mijn spullen en, mij tintelend bewust van mijn positieve kracht, loop ik het leven in. De zon tegemoet.

V
Erna

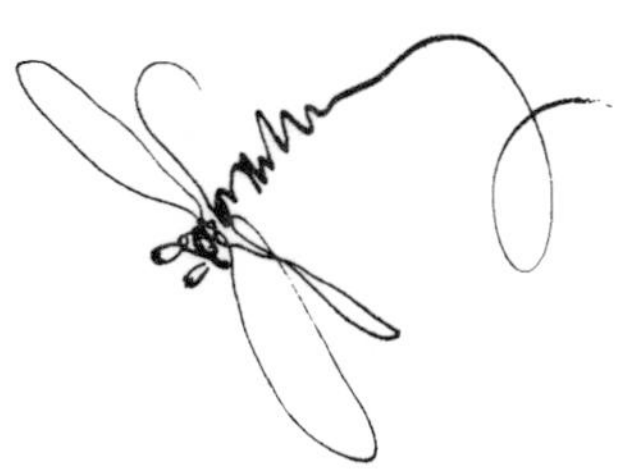

'Know that the little droplet that you represent
is being accepted by the whole.'

David Carson.

Ik lig op een plek van oer-, oeroud. Een strand aan de zuidoostkust van Engeland. Ik ben op bezoek bij een hele lieve vriendin met een Aga fornuis. Alles is hier zacht. De zon zal mij niet branden, de wind wil niets kapotwaaien, het zand van de aarde is van de allerfijnste zachtgele korrel en het water is als fluweel.

Zeearm met eb en vloed. De getijden maken zich kenbaar in vriendelijk gekabbel. Onontkoombaar heen en weer. Op en neer. Veel en minder. Vrijgevig en teruggetrokken. Reikend en kom maar halen. Nat en droog. Bedekkend en de lelijke bodem onthullend. Hier liggend tussen de vier elementen, voel ik mij er deel van. Ik voel mij veel en niets tegelijk. Stoffelijk lichaam en luchtige energie. Deel van alles en toch één individu, met een eigen verleden. Eén unieke geschiedenis van ervaringen van vreugde en verdriet. Onontkoombaar op en neer. Deze oerplek brengt mij bij essentiële gevoelens en zit barstensvol zandvlooien. Zouden de zandvlooien zo springen omdat ze bloot

zijn? De doorschijnende lijfjes gewend aan onder de aarde en niet gezien, lijken zich geen raad te weten met het licht. Als stuurloze blinde gekken flippen ze rond. Hoe zouden ze eruitzien als ze een tijdje in het licht leefden?
In haar bed ligt Elizabeth omringt door zachte kussens, honderd procent linnen. Het teerste grijs komt binnen door grote ramen, die door witgeverfd ijzeren balkjes verdeeld zijn in ruitjes.
Ze is jarig.
Ze is alleen.
Verdriet in haar ogen over dat alleen-zijn. Dan telt vriendschap. Warmte. Na enige aarzeling kruip ik tegen haar aan. Waarom doen wij dit niet meer? O ellendig puritanisme! Wat is er natuurlijker dan twee lijven naast elkaar om pijn te verzachten. Dat helpt voor veel. Kopje thee op bed. Ontbijt, met júist de lekkerste dingen. Roos genoemd naar je moeder straalt diep rood naar je toe, met twee knoppen tot barstens toe open.
De wind doet de populierenblaadjes ruisen alsof ze de zee zijn. Wat vertellen jullie? Over volrijpe zomer. Over altijd aanwezig. Trouw. Zomaar daar, altijd. Tot jij er niet meer bent, of wij.
'Dan is er iets anders? Wat?'
'Doet er niet toe. Anders in ieder geval. Anders dan nu.'
'Aan wie vertellen jullie dat?'
'Aan wie het horen wil. Dat is hetzelfde als wie het horen kan. De dieren horen veel.'
'Kan het ze schelen wát ze horen?'
'Nee.'
Alleen ik, mens met dualistisch denkvermogen, denk. Maal, maal, maal als platte maalsteen, groot en log. Met blote voeten op het gras. Tenen voelen diep in groen en bloemen. Vocht. Wat doe ik hier? Vriendschap. Omdat ik hier wil zijn. Het is helend, ik vind

hier stukken van mijzelf. Mijn hart kan ik hier wéér een stukje verder openen. Een beetje angst loslaten voor de gevolgen van gevoelens. Alles behalve totale overgave die past in tijd en ruimte. Huis, land, ritme, gewoontes. Bezitterigheid. Mijn manier is de beste. Pas je in mijn hokjes? Ik wil niet teveel concessies meer doen. Dat heb ik al gehad. Ben erdoor uitgerekt en uitgedroogd tot knappens toe. Het gaat nu net zo goed met me. Maar alleen is ook slechts leuk als het niet hoeft.
Alleen?
Doen waar ik zin in heb. Niet je best moeten doen om die ander op te vangen op al die momenten. Geen gezanik, geen kritiek, uitleg moeten geven, oppassen. Blij zijn wanneer ik blij ben, zo weids als ik dat maar wil zijn. Zomaar ... Vooral geen uitleg.
Verjaardag, wat is dat eigenlijk? Klaarstaan voor anderen, doodmoe en leeg naar bed na de te zoete taartjes-kopjes-thee-en-koffie-kringetjes-sessies? Jaar-dag. Geboorte! Hoi je bent er. Fijn dat je er bent. Fijn dat ik mag komen en ik vier vandaag dat je er bent. Dat je geboren bent. Dat je op deze aarde wilt zijn. Ontvang! Leer te ontvangen en doe vandaag niets. Ben je blij dat je er bent? Vertel, vertel. Ik vind het heerlijk naar je te luisteren. Te voelen dat je me het toevertrouwt. Je verhalen over hoe je denkt en van waaruit. Je geschiedenis opgebouwd uit de regels van je ouders en hun ouders, je land, je bodem en de wind.
Zon, hallo! Jij bent een stralende gesprekspartner. Hard en eerlijk. Dat vooral, en ook jij zonder dat eeuwige oordeel, die verminking van wat ik echt bedoel. Nee, ik zal nooit meer alleen zijn. Nooit meer. En ja, ik heb altijd mensen nodig om me heen. Maar wel de juiste. En niet altijd, dat kan niet meer. Ik zal luisteren naar jou, zon. En naar de anderen. De steen. De boom ...

Zonnekind. Deel van jou, zon. Elizabeth is deel van het water. Waterkind. Je hoort erbij. Je voelt je erbij thuis, bekend. Op de een of andere manier ken je dit beter dan de andere elementen. Ik was altijd bang voor het water. Ik ken het niet echt. Tot een zeker moment toen ik ergens in de dertig was, had ik een vreselijke droom over een vloedgolf die aan kwam rollen in de immense grauwe zee en die mij ieder ogenblik kon bereiken, overspoelen. Onder dat geweld zou ik steeds opnieuw naar lucht proberen te happen, maar ik zou genadeloos kapotgeslagen worden onder het reusachtige van al dat donkere water. Tegenover die overmacht wist ik mij totaal machteloos. Tot de droom kwam dat ik spelevarend voer in een wit motorbootje, met mijn beste vriendje en een paar vertrouwde vriendinnen. De zon scheen in een strakblauwe lucht. Het water van de eindeloze zee was helder groen. In de verte zagen wij land, met verweerde groen-grijze stenen huizen. De metershoge, genadeloze golf kwam vanuit de verte naar ons in ons kleine bootje toe, almaar dichterbij. Als een grote groene muur rees hij boven het wateroppervlak uit ... Daar bleef hij hangen, wachtend als een cobra, in plaats van ons te pakken. Dan, ineens, werd de golf kleiner, tot hij opging in het algehele wateroppervlak. We naderden een eiland dat bestond uit een wit futuristisch lang en laag reusachtig groot gebouw. Een nieuw land. Ik stapte uit, de vrienden gingen verder.

Die golf, die dreiging, is nadien nooit meer teruggekomen.

Ja, de zon is mij bekend. Zij groet mij terug met een extra straaltje helderheid. Heel even iets warmer. En koestert mij tot in mijn kleinste holletjes. Zoals een kat zich uitrekt, zo vlijt de zon zich om me heen, tegen mij aan. De wind helpt erbij. We bestaan uit de elementen, zijn er deel van. Stof tot materie geworden

en zo weer stof. Púf! Weer deel van alles, onzichtbaar nu, wel voelbaar. Straks als ik puf heb gedaan, kunnen degenen die nog op aarde leven mij blijven voelen, maar dan als pure energie. Tot ik weg ben, naar ergens anders. Verderop. Tussen twee levens in, als ware het de pauze van een theatervoorstelling, spraken we af elkaar weer te ontmoeten, als we ons bewust geworden waren wat innerlijke vrijheid door vrijheid van geest is. We troffen elkaar in Engeland op het station. We hadden verschillende leeftijden en levens. We kwamen uit verschillende culturen. Maar hadden dezelfde inzichten verworven.
De populieren fluisteren. De zon en de wolken spelen hun spel. De hommels drinken de nectar diep uit de bloem.

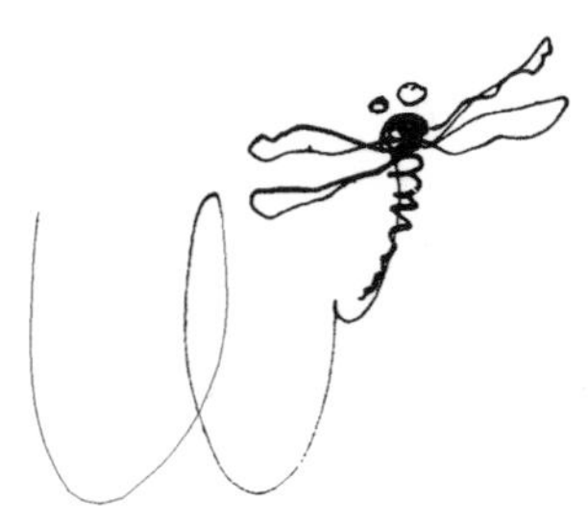

Midden in de nacht word ik wakker, ga rechtop in mijn bed zitten en voel wat er aan de hand is. Ik krijg een beeld als van een groot ouderwets zeilschip, zo'n log ding met veel zeilen. Het is mij duidelijk dat dit beeld mijn leven voorstelt. Terwijl ik ernaar zit te kijken, de romp door het water zie snijden, de kleuren van water en boeg in blauwen en bruinen, gaat het zware ding langzaam, heel langzaam overstag. Eigenlijk is het nog minder dan dat, het maakt zich op om overstag te gaan. Het maakt aanstalten dit te doen. Maar de aanduiding is voor mij al genoeg om te weten dat mijn leven zich keert. Ik kan het nauwelijks

geloven, zouden de moeilijke tijden werkelijk voorbij zijn ...
Lang, heel lang blijf ik naar dit beeld kijken, het volgend met mijn ogen. Beseffend, begrijpend en dan dringt vertraagd tot mij door dat ik, als ik dit zo duidelijk zie, het ook moet geloven. En wat nog belangrijker is, is dat ik dit beeld kan vertrouwen. Ik heb niet vaak zulke duidelijke visuele beelden. Het keerpunt kwam in Amerika, na het doorwerken van veel ...
En als ik erop vertrouw dat dit echt waar is, *is* het ook zo. Zo werkt het toch? 'Hold the vision', zegt een heel oude bekende mij. Hij legt uit dat als je iets niet in je gedachten houdt, visualiseert, het niet kan materialiseren. 'Hold the vision and everything is possible.'
Met alweer de nodige vertraging voel ik de blijdschap loskomen. Een nieuwe koers! Een nieuw tijdperk! Stroomafwaarts nu. Voorbij, verder, anders! Een nieuw deel van mijn leven! Niet meer zwaar. Nu in mijn volle bewustzijn en gevoel ga ik weer liggen, klaar om te slapen. Maar eerst vraag ik de adelaar die woont in dit dal om mij een bevestiging te geven van wat ik heb gezien, mij te helpen hier echt in te geloven, door zich te laten zien in de morgen. Ongelovige die ik ben.
Tijdens een wat laat ontbijt buiten in de ochtendzon zitten wij over de banaalste dingen te praten, een vriendin en ik.
Het irriteert me een beetje dat die nacht zo zinvol was geweest en ik dat niet echt kan delen met haar. Dat het gesprek nu zo triviaal is. Zij wijst onder het praten naar de lucht: 'Kijk!' En daar vliegt, majestueus, de koningsadelaar in grote kringen rond. Mijn mond valt open, mijn hart slaat over. Daar is hij. Communicatie! Hij vliegt zijn cirkels steeds iets dichter naar ons toe, tot recht boven het huis. Daar draait hij drie keer rond, om dan in een rechte baan rechtstreeks naar de

overkant van het dal te duiken. Langzaam en rustig, zeker in zijn vlucht.
Dit zijn connecties waar je aan voorbij kunt gaan, of die je kunt zien. Zinvol? Ja!
De adelaar wordt ook wel gezien als de zon, boodschapper van de engelen ... De Chinezen zeggen dat drie de totaliteit uitdrukt, de vervolmaking. De christenen zeggen: God is drie in één.
Nou!
Dezelfde zomer gebeuren er wonderen. Het lijkt of alle steentjes meerollen in de goede richting. Wat van tevoren angstaanjagend lijkt, blijkt een heerlijke gebeurtenis. Waar komen de wonderen vandaan? Vallen ze werkelijk uit de hemel? Dat lijkt alleen maar zo omdat je op zo'n moment vergeet wat je allemaal hebt gedaan om een wonder mogelijk te maken. Zomaar met een bloem praten, zonder zelf een antwoord te bedenken, komt ook niet vanzelf. Mensen waar je al heel lang niet meer mee praatte en die weer dichtbij komen, net zomin. Maar het gevoel van het wonder blijft heerlijk!
Ik zit op een zachtgroene grasplek in de hoge bergen. Bloemen rondom en onder mij. Paars, donkerrood, zonnegeel, wit in tere fijnheid, gentianen met hun diepste hemelblauw als balsem voor de ziel. Alleen zit ik, in de immensheid van de oude wijze krachtige en altijd levende bergen. Gigantisch luchtruim boven en om mij heen. Eindeloze vlakken in de ruimte omringen mij. Tijdloos en toch nu. Hier ben ik op dit moment, wellicht wat moeilijk te bereiken tot dit alles deel van mij geworden is, dan ben ik net weer om de hoek voor wie het vatten wil.
Ondertussen geniet ik van de zon en het uitzicht en ik strek behagelijk mijn benen uit. Zon, streel mijn huid en licht mij bij. Wind, raak mij aan en speel met mij. Water, heel mijn wonden. Aarde met je stenen en je

gruis, je bloemen, wurmen en je vlinders, geef mij geborgenheid. Een plek om te liggen en te ademen in opperste tevredenheid.
Bevestigingen zijn voor mij betekenisvoller dan de bewijzen die de wetenschap vraagt. Mijn eigen bewijzen krijg ik in liefdevolle overvloed.
Dit jaar zijn er heel veel bloemen. Ze richten zich in hun duizendsoortigheid naar het laatste zonlicht. Boven mij uit torent de rotswand als een voorwereldlijk reptiel. Deze rust en zekerheid van de natuur is vergankelijk. Alles kan zomaar in beweging komen en daar kun je je niet tegen verzekeren. Is dat niet eeuwigheid?

Terug in Nederland blijft de vraag mij bezighouden hoe ik voeling kan blijven houden met het natuurlijke. Wat daar buiten en boven een beetje lukte, is hier ineens weer moeilijk. Het huis en alles wat daarbinnen gebeurt slokt alle aandacht op. Binnenshuis is de intermenselijke communicatie optimaal. Maar ik kom niet meer buiten. Aan de ene kant door plichten, maar ook doordat de tuin een afgesloten stuk natuur is. Ik word niet meer naar buiten geroepen. De verbinding met het geheel van de natuur ontbreekt, en daardoor lijkt het mij moeilijker contact te maken. Alsof ik ineens op een eiland leef met mijn huis en de tuin eromheen, zonder de oorspronkelijkheid van de natuur. Hoe ervaren de bomen en het water dat?
Ik bespeur verdriet bij de bomen, omdat de afgrenzingen belangrijker lijken dan zij. Er wordt meer gekeken naar de hekken en naar wie daarachter bezit, dan naar de natuur. Je kunt de menselijke aard niet veranderen met al zijn nieuwsgierigheid, jaloezie, afgunst. Maar als de mensen óók met de bomen zouden praten en naar het water zouden luisteren, zouden ruiken en zich verwonderen, op al deze manieren zich zou-

den verbinden met hun mede-aardebewoners, zou dat de bomen de ruimte geven. De ruimte van het zijn. En mensen zouden er een dimensie bij krijgen.
De oude rode beuk zegt dat ik er iets van begin te begrijpen en ik voel zoiets als een zucht.
Een grote dubbeldekker-libelle zoeft langs me, komt keer op keer terug en vliegt dan in hoekige cirkels om mij heen. Lichtgrijs lijfje, vier grote doorzichtige vleugels in minuscule deeltjes als tientallen raampjes verdeeld. Af en toe staat hij stil in de lucht en gonst mij met de grote ogen aan. Wat wil je mij zeggen? Ik maak mij heel stil vanbinnen en tracht te voelen wat hij aangeeft. Ik zie vooral hoe het diertje in z'n middelpunt is en van daaruit álle richtingen uit kan.
De essentie van de libelle staat bij de Noordamerikaanse Indianen voor het doorbreken van illusies. Hij is daarom voor hen een boodschapper van verandering. Het is een prachtige legende die vertelt dat de libelle eens een draak was, en heel wijs.* Hij vloog door de nacht en bracht licht met z'n vurige adem. Door de adem van de draak kwam de kunst van de magie tot leven en de illusie van de gedaanteverandering. De draak raakte verstrikt in zijn eigen waan. Hij accepteerde een uitdaging om de macht van zijn magie te bewijzen en veranderde in een libelle. Hierdoor verloor hij zijn macht.
Als de libelle in je buurt komt, moet je volgens hen kijken naar wat er verandering behoeft in je leven. Zij schrijven de dieren, evenals al het levende, helende krachten toe en noemen dat hun 'medicijn'. Ik kan mij dat zo langzamerhand volledig voorstellen, na al mijn ervaringen. Met deze wijsheid in mijn achterhoofd kom ik uit op geestelijk met elkaar verbonden zijn, de libelle vraagt mij dat te doen met de essentie

* Zie: Jamie Sams/David Carson, *Medicine Cards, The Discovery of Power Through the Ways of the Animals*, Bear and Company, Santa Fé.

van wat leeft en groeit. Heel duidelijk hoor ik dan: 'Geloof in jezelf, je eigen middelpunt.' Als ik zo'n stem in mij voel resoneren met een of andere wijze boodschap, ben ik elke keer weer verwonderd en dankbaar voor de nieuwe communicatie. Deze dagen voel ik mij tóch al het centrum van een huis vol steeds groter wordende kinderen en vrienden van de kinderen. Een levendige boel, met zoveel zinvolheid. Een stel wijze mensen bij elkaar, waar ik dankbaar een onuitgesproken middelpunt van ben. Met hen communiceer ik vanuit mijn middelpunt, met de natuur ook, maar het zijn wel twee verschillende werelden. Die van binnenshuis en die van buitenshuis. Als ik de libelle begrijp, kan ik die scheiding weglaten en buiten en binnen er steeds laten zijn. Ik zal mij erin gaan oefenen, want ik voel dat ik daarmee een kernpunt nader waardoor ik de pijnlijke overgang van het buitenleven naar het 'gewone leven' zou kunnen verzachten. Eerst het leven dat zich in het huis afspeelt op de een of andere manier openhouden ten aanzien van de natuur. Ik stel mij voor dat de energieën van buiten gewoon dwars door het huis heen kunnen lopen, dat de muren van het huis daar geen barrière voor hoeven te zijn. Net als dat de grenzen van de tuin alleen voor mensen gelden en niet voor de planten- en dierenwereld. Later komt dan het oefenen in gesprekken voeren met mensen, zonder mij af te sluiten voor de verbinding die ik heb met de wereld daar buiten en de elementen.

Dank je, libelle. De tuinman had het perzikeboompje dat tegen de muur van ons huis staat, bijna weggehaald. Het lijkt of het heeft willen tonen hoe blij het is dat het mocht leven, want dit jaar stond het tot knappens toe voorovergebogen om ons een emmer vol vruchten te geven!

Nog een stap verder is, de elementen in je lichaam

toelaten. De zonne-energie langzaam laten doordringen, door je huidoppervlak, je organen in, in alle cellen en aderen, tot en met de botten. Datzelfde met water, lucht en aarde. Dan voelen wat het steeds met je doet. Welke kleuren ermee gepaard gaan, welke gevoelens. Wat het doet met mijn lichaam: ontspant het, wordt het warm of koud, licht of zwaar, maakt het me blij of moet er wat verdriet loskomen ... Eerst begin ik met één orgaan of chakra. Ik kies de ogen omdat die vol oude troebelheid zitten.
Goed, daar gaat ie dan: ik nodig de zonnestralen uit, mijn gesloten ogen binnen te dringen. Alle te gespannen spiertjes sta ik een bad van oranje stralen toe. De gekste gedachten doorkruisen en saboteren het proces: de zonwering moet nog besteld worden(!). De verwarming staat te hoog aan, de loodgieter zou toch langskomen? Wat heerlijk, dat oranje licht. Hoe zou het met Marieke gaan? ...
Staan deze gedachten in mijn netvlies en komen ze naar voren door het zonnebad, of dwarrelen mijn gedachten lukraak rond? Allebei, denk ik. Moeilijk is het om mij helemaal te concentreren, helemaal en alleen maar in het hier en nu te zijn. Steeds dieper laat ik de geduldige zon door. Diepe ontspanning is het gevolg. Wat water is nodig om het geheel wat te doen vloeien, speelser te maken. Ik verbeeld mij dat er water door mijn ogen speelt en het is heerlijk. Het instrument van je ziel is je imaginatie, je verbeeldingskracht. Wat kunnen we elkaar toch veel geven. Tenminste, de zon geeft aan míj. Wat geef ik? Vertrouwen, liefde, dankbaarheid, ik bied mijn persoon open aan. En wat gebeurt er als ik ook de energie van de rode beuk toelaat? Het vraagt oefening om al je aandacht te kunnen concentreren op maar één boom, op alléén de zon, op uitsluitend en alleen die éne libelle. Aan helemaal niets anders te denken. Je leeg te maken en

heel alert tegelijkertijd. Open voor een of ander bericht, in welke onverwachte vorm dan ook, van uitsluitend dát waar je je aandacht op richt.
Door al je aandacht te concentreren, gaat die boom of waar je je aandacht dan ook op richt, veel sterker stralen. De energie wordt verhoogd. Als je een steen in je hand hebt, zomaar, of je geeft dezelfde steen *al* je aandacht, dan is het effect totaal anders. Het is net als bij mensen, als je échte aandacht krijgt, ga je stralen, ben je méér jij.
Er stond in de krant dat een vlinder meer kleuren ziet dan wij mensen. Ze schijnen ook ultraviolette stralen te zien. 'Wij' kunnen veel meer zien en voelen dan we denken, het is een kwestie van je helderheidsvermogens schoonmaken, dan zie je net als de vlinder, kleuren óm dingen heen. De niet-stedelijke culturen doen dat zeker veel meer, ook van hen valt veel te leren.

De angst om te leven met mijn negativiteit is voorbij. De slopende confrontatie met de werkelijkheid. Mijn heftige strijd tegen het kwaad in de wereld, het onrecht, was uiteindelijk een strijd tegen mijn eigen onrecht, mijn snelle en vaak meedogenloze oordeel. Mijn eigen negativiteit, jaloezie, destructie, vernietigingsdrang, heb ik heel lang niet in de gaten gehad. De haat, ellende, het verdriet van de wereld, ik vocht ertegen als een Jeanne d'Arc of een middeleeuwse ridder. De strijd tegen het KWAAD. Het mocht er niet zijn, en aangezien het er was, moest ertegen gevochten worden! Nu weet ik dat creativiteit en destructie bij elkaar horen. Ze zijn onlosmakelijk met elkaar verbonden omdát ze elkaars tegengestelde zijn. Alsof ze rug aan rug zitten in het midden van één cirkel. Ze zijn elkaars ruggetje. Wij mensen kunnen allemaal maken en breken. Scheppen en doden. De Saddam Husseins in de wereld zijn bij uitstek geschikt om ons

van onze eigen vernietigende kant af te leiden. Het is prettig om te denken: hij is slecht en ik en jij niet. Bijna altijd als je met de vinger wijst, als je heftig iets afkeurt in een ander, is dat een kwaliteit die je in jezelf niet accepteert, waarmee je de confrontatie niet aangaat. Dat is nu wel algemeen bekend.
Ik merk dat door mijn eigen destructieve kant te aanvaarden, ik deze kracht kan gebruiken in positieve zin. De hoeveelheid energie die alleen al ging zitten in de ontkenning van mijn woede ...
Want merkwaardig genoeg kun je de enorme power die in de vernietigingsdrang zit omzetten in positief gerichte creativiteit, *als* je hem accepteert. Het is fantastisch en onthutsend, dat je zo'n groot deel van jezelf wegzet, omdat je ervan walgt en het afkeurt en daarmee niet op een andere manier gebruikt.
Zou het niet zo zijn dat de scheppingsbekwaamheid van mensen door bewuste keuzen iets aan de kosmos toevoegt dat het scheppingsniveau van de planten en de dieren niet heeft, omdat zij de dualiteit niet kennen? Zou het niet zo zijn dat het oerelement, het oerlicht voeding nodig heeft, via dit dualiteitsbewustzijn? Het ene niveau lijkt mij niet méér dan het andere, het is alleen ánders, met andere doelen. De natuur is er in eindeloos geduld. Ouder en wijzer dan wij mensen. Mensen zijn meer eendagsvliegen. Nieuwkomers op aarde. Overstromingen, brand, aardbeving, uitbarstingen zijn niet 'slecht'! Toch is het destructie. Maar de natuur doet dit niet uit kwaadwilligheid. Er zit geen oordeel in. Wij mensen noemen de natuur hard, maar dat is een menselijk begrip. Als *wij* iets vernietigen, doen we dat uit een onderbewuste of een bewuste keuze. Er zit een oordeel in en er hoort een emotie bij (*woedend* slaat hij haar omdat *hij* haar een domme trut *vindt*). Zo kan een boom toch niet denken! Een spugende vulkaan is geen uitbarsting van razernij uit

het diepst van de aarde om wat wij mensen met die aarde doen. Als dat zo was, dan had de kracht die in de aarde zit ons allang weggeveegd. Mensen komen om bij een aardbeving. Dat vinden wij vreselijk. Maar dát is heel wat anders. Dat is mensen-denken en -voelen. Al het ándere leven gaat uit van een heel ander bewustzijn. Een niet-dualistisch bewustzijn, dat nooit is afgesplitst van de oerbron en daarom niet in termen van 'kwaad' kán reageren. Net zomin als 'goed'. Alleen wij mensen doen goed en kwaad vanuit een bewust niveau. En daarin zit volgens mij de essentie van ons mens-zijn. Binnen ons bewustzijn is er die vrijheid van keuze. Het goed en het kwaad zijn een voortdurende uitdaging en geeft onbeperkte mogelijkheden van keuze. Als je als mens je eigen dualiteit aanvaardt, je scheppende én je destructieve kracht, dan versterkt dat de eenheid in je van de tegenstelling, en groei je. Je versterkt het oerbeginsel, het licht in je. Oftewel: als de dualiteit wegvalt (al is het maar eventjes), door het accepteren ervan, ben je op dat moment een geïntegreerd deel van de oerbron. Die er tevens door wordt versterkt.
Heel duidelijk wordt het mij dat wij mensen met ons ándere bewustzijn dan de rest aan leven op deze planeet, deel zijn van elkaar als een mensen-bewustzijn én deel zijn van de 'rest'. Ik denk dat iedere 'soort' (bomen, stenen, bloemen, dieren etcetera) een groepsbewustzijn heeft. Ieder in zijn soort uniek. En dat we vanuit de verschillende bewustzijns-specialisaties een onderdeel zijn in een geheel dat altijd in beweging is. Pulserend, vibrerend, ritmisch. Veranderend, groeiend. Alles samen vormt één geheel, met afzonderlijke doelen, verenigd in een totaal doel. Dat doel is niet anders dan *zijn* wie we zijn. Hoe meer we onszelf zijn, hoe dichter bij ons innerlijk licht, hoe dichter we bij onze verbinding met het licht in ál het leven zijn.

Martha wil meer contact met de natuur opdat de aarde niet vergaat. Ik zie het anders: voor mij gaat het om liefde. Het contact met de essenties van het leven om ons heen, 'de natuur', brengt ons mensen in contact met de essentie van alles: liefde. Onvoorwaardelijke grenzeloze liefde waar het goed en kwaad niet van toepassing is, want niet dualistisch. Het is er en we zien het niet. Maar áls we het zien en ervaren, verandert ons leven, maken we totaal andere keuzen en gaan we op een nieuwe manier om met onze levende omgeving. Het brengt ons in contact met het gevoelsleven van de wereld buiten onze huismuren en natuurlijk daarmee in contact met ons eigen gevoel. Met een deel van je gevoel op slot, is het tenslotte maar gedeeltelijk leven. Het brengt ons in contact met ons héle zelf. Met de bron van licht in onszelf.

Ik ga ervan uit dat alles wat hier leeft op aarde, altijd leeft, *ergens*. Dat wat hier sterft, ergens anders bestaat. Niets is ooit 'weg'. Alles is altijd 'ergens'. Alleen in een andere vorm dan op aarde.
Zo zal de mens als die niet meer hier op aarde leeft, in een andere vorm ergens anders zijn. Ik stel me die vorm voor als een beweging, een trilling die overeenkomt met de gedachtenvormen en de essentie van die mens. Hier op aarde zijn we een gestolde vorm van die trilling, omdat we in een lichaam incarneerden. Deel zijn geworden van de stoffelijke aarde. Net als de bomen of een bloem dat deden. Onze stoffelijke vorm vertelt ons veel over hoe en wie we zijn. Net als een boom aan de vorm laat zien hoe en wie hij is.
Het contact met de natuur is voor mij belangrijk, niet uit angst dat de aarde uit elkaar zal spatten, niet uit angst om dood te gaan. Alles blijft naar mijn idee toch altijd bestaan en wie weet is het straks nog leuker. Het contact met de natuur is voor mij belangrijk

omdat, als we zo doorgaan met de aarde en elkaar én onszelf respectloos en gevoelloos te behandelen, we maar één deel van onszelf gebruiken. Het deel van de descommunicatie. De natuur leert ons hoe het is om in éénheid te leven. En als we ervan wéten, kunnen we ons ook meer richten op het deel in ons dat aangesloten is bij al het leven. Dat maakt het leven niet alleen prettiger voor onszelf, het wordt meteen prettiger voor al het leven om ons heen. Zo heb ik ervaren hoe de dolfijnen ons laten zien hoe het is om zorgeloos te leven, mét de kennis van het verdriet van de wereld. Door het simpele feit dat ze leven in het nu, wordt dat een stuk makkelijker.
Ieder mens kan bijdragen aan de ontwikkeling van het licht dat in al die celletjes zit. Wij kunnen het meer leven inblazen. Juist door onze eigen keuze is dat een krachtige bijdrage. Iedere gedachte, iedere daad heeft effect op het geheel tot in de verste uithoekjes van de kosmos. Daarmee is al wat leeft belangrijk in het geheel der dingen.
Is daar al die ellende voor nodig? Ik denk van wel. Het is minder belangrijk wát we doen, als hóe we het doen. De intentie. De diepliggende emotie áchter de handelingen. Het gevolg van onze keuzen heeft weerklank op het geheel van leven. Ik denk dat de groei deel uitmaakt van die grenzeloze liefde. Ook die liefde kan groeien, als het ware 'leren'. En van dát proces maken wij deel uit.

Mijn Binnen-stemmetje zegt, dat door altijd heel hard te werken ik geen tijd heb genomen voor het observeren van de spin die vlak langs mijn ogen voorbijglijdt, pootjes opgetrokken, juist nu ik mijn ogen tracht te ontdoen van de spanning overgebleven van de oude zienswijze! Spinnen maken altijd weer nieuwe webben, ragfijne structuren komen zonder de minste moeite uit hun buikje, hun middenpunt. En wáf: daar gaat weer iets recht erdoorheen, wordt de hele creatie kapotgemaakt. Maar geen nood: rustig, in de verrukkelijke onwetendheid van bewijsdrang of verwijt maakt ze een nieuwe structuur.

Als ik naar het fijne web kijk, doet dat iets anders met mij dan wanneer ik kijk naar het insektje dat in haar eigen web gevangen is. Het feit dat ik het spinnetje op dit moment beschouw als een gevangene, is een keus. Zo maak ik de hele dag keuzen die mijn leven bepalen en die weer bepaald zijn door eerdere keuzen in mijn leven. Wat dan weer gebeurtenissen en mensen aantrekt die met die keuze te maken hebben. Een slachtoffergericht mens of een ragfijne-structuurgericht mens: dat leidt tot een ander soort ontmoeting. Ik begrijp steeds beter hoe je aantrekt wat je uitzendt. Hoezeer je zelf in de hand hebt hoe je leven eruitziet.

Een cynisch stemmetje zegt dat dit een wat oppervlakkige manier van denken is: 'En de mensen in Bosnië dan?' Vanuit ons menselijke denkkader bezien, klinkt het hard om te zeggen, maar vanuit de zienswijze dat alles altijd bestaat en we hier lessen aan het leren zijn in alle soorten situaties, ja dan kan je rustig zeggen dat het daarbij hoort. Dan zijn de mensen daar iets aan het leren wat voor hén belangrijk is, net zo goed als een ander dat elders doet. Het ene is niet érger of béter dan het andere, het is een omstandigheid die jij uitzoekt om dat te leren wat je nodig hebt voor jouw groei in het samenhangend geheel van jouw leerproces door je levens heen. Jouw leerproces is, denk ik, onlosmakelijk verbonden met dat van anderen én met het leerproces van het grotere verband. De algehele groei.

En waarom zie ik zoveel vlinders om mij heen fladderen? Die ene lijkt wel een stuk iets-te-geel berkenschors. Vlinders ... transformatie ... Ben ik niet bezig mijn manier van kijken te veranderen? Met volle agenda's is het moeilijk deze subtiliteiten, deze tijdloosheid op te merken, laat staan te beleven. Ik ben blij met het nieuwe evenwicht dat ik in mijn leven heb ingebouwd door deze momenten van stilte een deel te laten zijn van mijn wereldse leven van werk en dat alles.

Al deze ervaringen zijn zo verfrissend, alsof ik nieuwe vrienden ontmoet die mij fantastische dingen vertellen. Ik vraag de grote rode beuk, met zijn energie om mij heen te komen staan omdat ik mij in mijn veranderingen een beetje kwetsbaar voel. Een trilling is duidelijk zichtbaar en het lijkt of de boom in al haar grandioze pracht met haar energie naar mij toe komt. Niets verbaast mij meer, omdat ik zo langzamerhand gewend ben dat er dingen gebeuren als ik niet van mijn menselijk denkkader uitga die eigenlijk alleen maar onverwacht kunnen zijn. Deze rode beuk slaat haar takken natuurlijk niet bemoedigend om me heen als een mens dat zou doen, maar komt met haar energie naar me toe en nu voel ik hoe de energie als een kring om mij heen sluit, warm, veilig. Dank je, boom. Daarbij laat ze mij zien hoe breed haar takken uitwaaieren vanuit haar gigantische speels gedraaide stam. Haar centrum. 'Zo breed kan ieder mens zijn, het stoort niemand als je er zo stralend en breed bij staat.' Ja, dat had ik even nodig om te horen. Dit is een verrukkelijke manier van met elkaar omgaan!

Het steeds aanwezige cynische stemmetje knaagt in mijn binnenste, dat deze nieuwe ontmoetingsrealiteit toch nooit aanvaard zal worden in deze cynische wereld. Met een schouderophalen kun je zeggen dat het veel te vaag is, te ongrijpbaar, te buitenissig ... In het gunstigste geval is het te moeilijk te geloven. Je kunt wel van alles verzinnen! Om de een of andere reden moeten mensen dingen die onder de categorie on-

zichtbaar vallen 'geloven'. Geloven staat zo ongeveer tegenover bewijzen. Treurig eigenlijk, die benauwde noodzaak alles te moeten bewijzen vóór het wáár mag zijn. Tastbaar is waar. Tastbaar en bewijsbaar horen bij de échte wereld. In de Bijbel stond al iets over die ongelovige Thomas, die dingen aan moest raken om ze te geloven. Liep Jesus niet over het water omdat hij vertrouwde?
Ik ben eerder bezig met ervaren, spelen met mogelijkheden, ontdekken en verwonderd genieten. Vertrouwen. En daarin heb ik inmiddels genoeg 'bewijzen' gekregen ... Genoeg om twee realiteiten naast elkaar te kunnen zetten. De onzichtbare en de zichtbare. Het leuke is dat hoe meer ik bekend raak met het metafysische, hoe mooier ik het zichtbare en tastbare ga vinden.
Eerst was alles als een tweedimensionaal plaatje, nu weet ik dat al het zichtbare en tastbare voelt, vibreert en met elkaar en de kosmos verbonden is. Het driedimensionale plaatje is een multidimensionale realiteit geworden.

Zo genietend voed je de kosmos met geniet-energie. Genietend ben je sterk als er rampen gebeuren. Het is moeilijk buiten andermans verdriet te blijven (Martha én haar boom!). Het is moeilijk met je netvlies vol oorlog te genieten van de rust van je huis. Het is moeilijk te genieten terwijl anderen in uitzichtloze situaties verkeren. Ik probeer te genieten, en het lukt mij aardig. Maar de krant dan?
Mag ik mij terugtrekken? Staat positieve energie even krachtig in het heelal als medelijden, lijden, verdriet? 'Heilige onverschilligheid', zei de oude helderziende dame uit Den Haag. 'Je kunt de ellende van de wereld niet op je schouders nemen. Dat is niet alleen heel pretentieus, maar je kunt nou eenmaal de verant-

woordelijkheid van anderen niet overnemen. Je zou dat vaak wel willen, maar dat is letterlijk onmogelijk.'
Hoe draag je positief bij aan deze wereld en de kosmos ... Flying doctors? Protestmarsen in eigen land om solidariteit te betuigen met het schenden van mensenrechten elders? Meevechten om het goede, tégen het naar jouw mening slechte? Artikelen schrijven over het gelijk? Tégen zijn? Vóór zijn? Keihard werken om mensen te helpen die zwakker zijn? Keihard werken om de economie op peil te houden? Politieke keuzen voorleggen om een, volgens jouw ideeën, betere samenleving te maken? Of kan het ook door blij te zijn met al het goede, het mooie, het tere? Het blijde geeft een geweldige voeding aan gelijksoortige energie. Is er een moment dat juist dát de grootste bijdrage is? Alles is nodig, niets is fout. Het is maar waar je mee bezig wilt zijn, wat voor jou belangrijk is. Het gaat er niet zozeer om wát je doet, alswel hóe je het doet, en vanuit welke emotionele achtergrond.
Het is moeilijk te leren genieten omdat ons calvinistische denken ons dat in feite heel erg moeilijk maakt. Maar wie help ik er effectief mee als ik treur, terwijl er zo veel te genieten valt om mij heen en in mij?
Het is verdomd moeilijk om te genieten! Net als de boom bij Martha het nodig had te horen dat je mag genieten als anderen het moeilijk hebben, zo moet ik dat ook keer op keer horen. 'Je mag genieten ondanks alle ellende in de wereld.' Gaat het daar nou niet precies om?
Ik vind mijzelf stom dat ik dat niet kan en tegelijkertijd niets nuttigs bijdraag op dit moment om de ellende te helpen verzachten. Helpen! Schuldgevoelens blokkeren de weg.
De stem van de vriendin tegenover mij in het Chinese restaurant zegt: 'Hoe kan iemand bezig zijn de essentie van de dingen te voelen en te plaatsen, en tege-

lijkertijd bezig zijn met de wereld beter of slechter te maken? Je dénkt dat je niets doet, schijnbaar doe je niets. Om de essentie te pakken van waarom dingen gebeuren in de wereld, zoals oorlog, heb jij stilte nodig. Een stilte, om je te verbinden met essenties. Jouw contributie op dit moment is begrijpen waarom dingen gebeuren. Je doet niet mee aan de oorlog. Je kijkt ernaar en maakt je zorgen ... Kijk! en laat het! Oorlog is totale des-communicatie met álles! Door dat te zien doe je "iets".' Alweer die 'heilige onverschilligheid'. Een diepe zucht, ik begrijp het.
Stilte is voor mij een voorwaarde om te kunnen luisteren. En stilte krijg ik alleen door een zekere rust in mijzelf. Die rust krijg ik alleen door het loslaten van vechten, strijd, angst, helpen, moeten. Dan neem ik tijd om te genieten, leven in en door het moment, het nu. Dat is eigenlijk tegenstrijdig, want het element tijd valt juist weg als ik geniet. Tijd is een illusie door mensen bedacht, zeggen de wijzen.
Door te genieten straal je geniet-energie uit, de kosmos in en draag je bij aan een evenwicht in de wereld. Het valt mij makkelijker het tegen een ander te zeggen dan het zelf te doen. Ik heb geen zin meer in helpen. Samenwerken met mensen op een open manier, waarbij er niet één partij bang hoeft te zijn dat zij minder weet of heeft, of iets niet kan. Dáár heb ik zelfs erg veel zin in. Samen werken, in de wetenschap dat je altijd leert van een ander en je daarom juist tegenover die ander zit. Net zoals ik dat nu doe met de natuur. Ieder mens, iedere plant, steen, water, dier heeft vanuit het eigen wezen de ander iets te leren. Dat vraagt een open mentaliteit en het verzachten van de muur van angst opgelopen door allerlei kwetsuren. Het is er allemaal en we zien het niet. Stel dat wij mensen de angst voor het anders-zijn van onszelf en een ander zouden verliezen ... we zouden genieten van onszelf!

'Zonder de natuur zouden wij niet bestaan. Wij hebben de natuur nodig om te leven. De natuur heeft ons niet nodig.' Dit zei een boomchirurg en ik ben het roerend met hem eens. Tragische gevolgen heeft het misverstand teweeggebracht dat de mens meester over de natuur is, dat de natuur de mens nodig heeft. Ik wilde schrijven 'jammer', maar dat is te cynisch.
We zijn net zo kolonialistisch bezig met de natuur als toen ... In het eerdergenoemde boek over de krachten van de dieren, wordt duidelijk gesteld dat als de mensheid verder groeit, 'wij allemaal nauwer verwant moeten raken met onze omgeving'.* De schrijver bedoelt daar natuurlijk de natuur mee. In onze cultuur is de directe omgeving vaak asfalt en beton, lawaai en vervuiling. In het gunstigste geval is het een vervuilde natuur, bomen die verpieteren, water dat nauwelijks leven in zich bergt, weilanden die verzuurd zijn, bodem die door vele mensen betreden is. Wij kunnen ons openstellen voor de oude indianenwijsheid die uitgaat van een levensfilosofie waarin mens en natuur verbonden zijn en samenleven. Zij vragen ons nu om samenwerking! Hopelijk helpt hun oproep mee.
Niet dat wij nu terug naar tóen zouden moeten. Er is te veel gebeurd om de oude leefwijze te kunnen nabootsen. Het gaat ook niet om een Rousseau-achtig romantisch idee van 'terug naar de natuur'. We kunnen ons niet meer permitteren om romantisch te zijn, daar is het te laat voor. Het gaat er mijns inziens om een nieuwe weg te vinden, die bij onze realiteit van nu hoort, waarbij we wél véél van de oude wijsheden kunnen leren. Vooral van de levenshouding, het respect én de kennis van ál het leven mét ons.
Blijft het feit dat mensen pas leren als ze zelf iets meemaken, be-leven. Als ik niet was overgestapt van het

* Zie: Jamie Sams/David Carson, *Medicine Cards, The Discovery of Power Through the Ways of the Animals*, Bear and Company, Santa Fé.

drukke leven, gericht op de doe- en buitenkant van het leven, naar de binnenkant, míjn binnenkant, dan was ik bijvoorbeeld het boekje van de dieren-medicijnkaarten en alle boeken uitgegeven door Sun Bear nooit tegengekomen. Of werken van mensen als Rupert Sheldrake, Bede Griffiths, Michael Roads, Small Wright, Joan Ocean, Jeffrey Goelitz, Gary Zukov ... Het is een langzaam proces, tenminste voor mensen als ik. Misschien is dit ook wel de uitdaging voor de mensheid. Even in vogelvlucht: eerst kenden wij de balans van de elementen en leefden er vanuit. Toen verloren wij die balans en vergiftigden de wereld en de natuur daarbij. Nu is het tijd om weer terug te komen tot de liefde die in alles zit, de harmonie te herontdekken, de kleurschakeringen, de ritmes, de energieën, mét die van jezelf, en samen te leven.
Of maken we als individu deze cyclus door, mét de wereld? In mijn leven lijkt het er wel op.
Is het niet zo dat wij niet waarderen wat vanzelfsprekend is? Als er geen splitsing had plaatsgevonden tussen het 'goed' en het 'kwaad' wisten wij immers niet dat goed goed was. Op deze planeet waar mensen leven in dualiteiten wordt het tijd voor nieuwe keuzen. Als de nacht niet op de dag volgde, zouden wij niet weten wat het licht is. Zonder lawaai weet je niet wat stilte is. Zonder disharmonie niet wat harmonie is. Na een meesterwerk van disharmonie gecreëerd door de mens, is het hopelijk nu de tijd om de natuur te herontdekken, tot een gesprekspartner te maken, een leraar, een vriend. En dát kan alleen gebeuren per individu.
Als ik het doemdenkerig zeg: als wij hier er zo'n rotzooi van maken, gaan niet alleen wij met z'n allen en al het leven op aarde eraan, maar we zenden een destructieve kracht de kosmos in. Ieder kan besluiten om daar niet aan mee te doen. En hoe meer mensen

het doen, hoe sterker het werkt. Je creëert samen positieve kracht die zich bundelt als een energieveld.
Als ik het positief zeg: ieder van ons heeft de kracht in zich om op ieder moment van de dag en de nacht bij te dragen aan de scheppende transformatie van het geheel dat wij het leven noemen. De ergste vervuiling is die van onze gedachten. Zo kun je bijvoorbeeld denken: het is nou eenmaal zo; of je kunt denken: het kan natuurlijk altijd anders. Negatieve gedachten kunnen we voor positieve verruilen en dat geeft automatisch andere uitkomsten. We kunnen ons klagende beeld over een vuile aarde verruilen voor een beeld van een schone gezonde aarde die weer in evenwicht is omdat alles samenleeft. Het zou wonderen doen. We hoeven maar om ons heen te kijken, ons open te stellen, te luisteren en te durven het niet te weten en ons oordeel wat op te schuiven. Kortom: onze gedachten en gevoelens te richten op respect voor al wat leeft. Zouden we dan een wereld te zien krijgen waarin Mankind bekendstaat als Kindman op de planeet van Kindness?
Het zou wel de geschiedenis op zijn kop zijn, als de westerse mens de harmonie terug zou brengen, de leidende figuur hierin zou zijn. Door de chaos heen ontstaat de nieuwe creatie. Is dat niet zo? Als de mens die totale chaos kan scheppen, kan hij daaruit iets nieuws doen ontstaan. Mannen en vrouwen uit alle culturen, ieder op hun eigen manier. Ook hier zijn juist de verschillen in aanpak boeiend en nodig. Ik durf het nauwelijks te zeggen, maar ik zie toch dat er veranderingen komen.

Prompt kom ik zo'n uitgesproken klootzak tegen! Trek ik me dit nu aan of is er iets anders aan de hand? Is het mogelijk dat er mensen zijn waarmee je niet kán omgaan?

oog om oog
gelijk gelijk gelijk
ongelijk
lelijk
lijk
lel
mo
ge
gek
gij
mij
jij jij jij!
ik
misselijk

Wat zegt welk element in de tuin mij hierover? Stil, stilletjes van binnen, luisteren.
Een jonge acacia zegt dat ik hem moet vergeven.
'Hè jakkes, dat klinkt zo braaf', zeg ik.
'Je moet hem laten zijn hoe hij is en dat respecteren.'
Goed, dat spreekt me meer aan. Verder trekt de meer dan honderdjarige Pyrus japonicus mijn aandacht en zegt: 'Hij is bang en jij ook. Hij kan niet anders op dit moment en wil graag in je omgeving zijn om te kijken wat jij allemaal doet.'
'Waar ben ik dan bang voor?'
'Om pijn gedaan te worden.'
'Ja, dat klopt en daarom ga ik een verder gesprek niet aan.'
De Pyrus japonicus zegt dat dit goed is in eigen woorden: 'Laat hem van je afglijden. Schud hem los.'

In de kalende notenboom (want het is herfst) spelen de spreeuwen een 'je lekker samen laten vallen' spelletje. Vrolijk kwetterend laten ze zich twee aan twee met een noodvaart loodrecht naar beneden tuimelen.

Nou ben ik niet bang aangelegd, maar zo je laten vallen ... Ik voel op deze frisse herfstmorgen dat ik juist dat heb gedaan. Ik heb mijn leven totaal veranderd. Wij kunnen ons eigen leven scheppen! Teleurstellingen over een man, een vrouw, over levensdromen die zo vreselijk anders uitpakten, heb ik ook zelf geënsceneerd! Woedend ben ik geweest, op de ellende, het onrecht, de arrogantie van leidende figuren in de wereld. De treurige verdeling van een beetje geluk.
Als we door levens heen allemaal alles zijn geweest, zoals Elizabeth Kübler-Ross zegt, van koning tot prostituée, dan is het duidelijk dat ook zij denkt, ervaart dat wij mensen hier op deze planeet aarde de lessen van dualiteit aan het leren zijn. In het lichaam van een man, een vrouw, in verschillende culturen en tijden. Onderdrukker en onderdrukte. Onwetend of bewust. Met en zonder handicap. Bij de mens-gegevenheid horen nu nog de oorlogen, het geweld en de onderdrukking, als het pus dat uit de wonden komt. Het is een deel van mij, want ik ben mede-mens. Het leven is verdraaid en moeilijk, een geworstel, een gevecht op vele fronten. Ik weet waar ik over praat. Maar als deel van die éne mensensoort, is iedere beslissing die je neemt, iedere gedachte die je vormt, een déél van dat geheel. Daarom is *ieder* mens belangrijk, dat beseffen zoveel mensen niet. Zoals ik al eerder zei: als wij mensen één lichaam vormen als 'soort', dan kan iedere cel in dat lichaam bepalend zijn voor de gezondheid van het geheel.
Je bent dus belangrijk! Je doet ertoe!
Als je besluit niet meer zielig te zijn, geen slachtoffer van omstandigheden, dan zie je de spin ook niet meer als een gevangene in haar web van omstandigheden. Je ziet hoe ze haar eigen prachtige, unieke web geweven heeft en daar nu zit te wachten tot het een of andere lekkere hapje naar haar toe komt.
Grenzeloos vertrouwen hebben. Letterlijk grenzeloos

in het vertrouwen dat dingen naar je toe komen die goed voor je zijn. Dan komen ze ook, en wordt je leven wonderbaarlijk.

Slome herfstdag. Alleen thuis in dit heerlijke huis dat ik met mijn kinderen bewoon. Allerlei klusjes te doen, maar niets substantieels. Een gevoel van leegheid vanbinnen knaagt ergerlijk. Geen vette boterham zal deze leegheid kunnen opvullen. In de periode dat ik getrouwd was, voelde ik me soms ook zo. Het voelt eigenlijk alsof er iets ontbreekt. Een huis vol kinderen helpt meestal om dit gevoel niet te voelen. Wat als zij er zo meteen niet meer zijn? Wordt het gat dan zo groot dat ik erin zal vallen? Maar vorig jaar deze tijd wás ik al op de bodem. Niet nog een keer, alsjeblieft. Het was daar niet écht fijn. Verschrikkelijk donker en somber. Tóen had ik het absolute vertrouwen dat ik er weer uit zou komen. Ik weet niet of ik dat nu weer zou hebben. Een pikzwarte vlinder in mijn kamer! Wat kom je me laten zien? 'Laat je zwarte gedachten los!' Transformeren, ja. Met een zucht realiseer ik mij dat ik weer eens in een draaikolk naar beneden aan het denken was.
Alles wat ik heb gedaan, brengt me tot waar ik nu ben. Hoe simpel het ook moge klinken, het is waar. Het is geen onplezierig gevoel dat alles zin heeft gehad. Al die verbijsterende, afschuwelijke, pijnlijke, uitzichtloze, eenzame, mislukte en toch ook wel glorieuze ervaringen waren de weg. Mijn weg. Tot hier en nu. Jaren geleden zei iemand mij op mijn vraag waar het leven nou in hemelsnaam over ging: 'Het doel van je leven is je weg. Jijzelf bent je weg.'
De structuur van het werk losgelaten. De hele mikmak van wat daarachteraan komt ook losgelaten. Mijn zoon zei: 'Je bent op zoek naar de graal, je bent er nu aan toe, maar je vind hem niet zómaar. Want als

je zoekt, dan vind je niet. Het gaat om een levenshouding. Als je op een bepaalde manier leeft, vind je wat je zoekt.' Een fantastisch mens; dat zijn ze stuk voor stuk trouwens. En wat hij zegt, is heel waar en heel wijs. Als je iets wilt, iets dwangmatig zoekt, dan vind je het niet.

Wat is die levenshouding? Hoe vind ik die? Zal het de rest van mijn leven inhoud geven? Of is het niet meer dan de consolidatie van het 'genietniveau'? Een soort van stevigheid in het genieten van waaruit ik dan verder leef en ervaar? Eén groot vraagteken. Nadat ik mij zo'n beetje helemaal leeg heb gemaakt, voel ik in de stilte van de dag wat mij te wachten staat. Waar ik mij mee bezig ga houden. Ik pas niet meer in het lawaaiige leven, evenmin kan ik nog leven met een vol geplande agenda. Ik kom terecht in een heel nieuwe integratie.

Een van mijn dochters heeft de zeldzame gave haar kosmische bewustzijn naast haar beperkte lichaamsbewustzijn helder weer te kunnen geven. Vergelijkingen te kunnen trekken tussen de twee niveaus en te weten waar ze daarin staat. Nu is ze bezig met haar eindexamen en heeft ze alle aandacht nodig om zich te kunnen concentreren op de leerstof. Als zij op het grotere niveau zou zitten, zou ze het niet opbrengen te studeren. Het kosmische niveau is zoveel ruimer, overkoepelt dit leven en vele andere. Het lichaamsniveau houdt zich bezig met het dagelijks leven, eigenlijk alles wat met het leven te maken heeft. Daar horen examens bij, autorijden, relaties, werken, kennis opdoen, blij zijn met een complimentje ...

Zoals ze zelf zegt: 'Het ene niveau is als een grote koepel en het andere is één lade daarin.'

Is dit spiritualiteit? Het is in ieder geval helder 'weten'.

Ik zag een vrouw op de televisie, die tien jaar in een gevangenis in Maleisië gezeten had, voor onbewuste

drugsmokkel voor een vriendje dat ze vertrouwde. Wrok, ontsteltenis, verdriet en mateloze angst. Dodencel. Alles. Door de hel was die vrouw gegaan. Het was opvallend hoe haar ogen straalden, hoe mild en zacht ze eruitzag. Ze vertelde hoe zij langzaam maar zeker in die gevangenis de mooie dingen weer was gaan zien. Een zonnestraaltje, een kleur, een glimlach. Daar was ze zich op gaan richten, waardoor haar hart open was gegaan voor mensen. Mensen in het algemeen. Ze zei dat het slechte erbij hoort, alles wat in de gevangenis was en hoe mensen er terechtgekomen waren. Maar dat ook het andere er is. De pijn was getransformeerd in liefde. Een soort vergeving.
We kunnen dat niet allemaal. Maar ik denk dat het precies dat is waar de stappen naar vrijheid over gaan. Weten dat de pijn er is, bij iedereen, en uiteindelijk, eens, genegenheid voelen voor de pijn en wonderlijke keuzen van anderen.
Toch vervelend dat het dan weer zo braaf en zoetsappig klinkt, terwijl het om fundamentele dingen gaat. De klefheid van 'het ware geloof' maakt dat je over dit soort dingen bijna niet durft te praten. Het verschil ligt, denk ik, in de boodschap dat je zo nodig je naaste lief moet hebben en je daarbij aan jezelf voorbijgaat. Want jezelf liefhebben mág niet. Er voor anderen zijn, ja. Maar dat kan toch alleen maar als je van jezelf houdt? Hoe meer je jezelf vergeeft, van jezelf houdt, des te meer heb je te geven. Hoe meer je je lichtjes aanzet, des te meer kan je je stralen richten op dat wat je nodig acht.
'God' is tot mensenmaat teruggesnoeid. Omgeven door regels en wetten en uitleg en verklaring en zonde en de mens is klein en niets, gebonden aan de nooit meer uit te poetsen alomvattende erfzonde. Tja. Nou ja, daar word je klein van.
Gelukkig is er meer dan 's mensen maat. Een vrouw

vindt het mooie terug zonder Bijbel en zonder dat ze 'het licht' zag. Ze zag een zonnestraaltje. Een straaltje van de zon zelf. Niet van God aan dat straaltje vast en dan was ze gered en zo. Nee, de zon. Deel van iets zo moois dat ze meer moois zag. Dat was zijzelf, daar was het een deel van. Het vreselijk mooie in haarzelf kwam weer tevoorschijn en scheen nog, twee jaar later, door de televisie heen.
'Het gaat om een levenshouding', zegt mijn zoon.
'Het ene niveau is als een grote koepel en het andere is een lade daarin', zegt mijn dochter.

Energie borrelt in mij op. Blij, blij met het leven. Verbonden met de aarde, met mijn lichaam. Lichaam en aarde zijn hetzelfde, niets meer dan stof. Maar zolang daar leven in zit, is het soms denderend te leven.
Kom in mijn tuin! Luister! Hier om mij heen wordt gepraat, gekwetterd, geknapperd, geschud en gewaaid. Hier danst ieder in eigen ritme op de zachte bries van de tijd. Groeit, bloeit kwijnt en sterft af. Allerlei groepen vogels schetteren door elkaar heen, bezig met hun eigen dingen. Toch vormt het vogelgepraat een harmonie. Evenzo de bomen, de planten, de bloemen. De tuin is niet wild, maar aangelegd op oude bodem. Vindt daarin niet alleen weer een nieuwe, maar ook een eigen weg. Dom zijn we, die denken het leven alleen aan te kunnen, terwijl er zoveel liefs en ondersteunends om ons heen is. Maar ja, als je dat niet ziet of wilt zien ... Het vervelende is, dat we het niet meer kúnnen zien.
Vliegtuigen vallen op huizen. Oorlogen verwoesten hele cultuurgebieden, andere staan bevend in hun kinderschoenen door historische aardverschuivingen, mensen staan machteloos tegenover mensen-geweld. Mijn andere dochter zegt: 'Dat hoort erbij, mama, het is een overlevingsinstinct.'

Nu ik meer met de zon praat en de gekste antwoorden krijg, begrijp ik ook dat toen indertijd in de auto de zon zei dat ik niet meer alleen hoefde te zijn, het ten eerste een echt antwoord was en ten tweede de zon mij sindsdien niet meer alleen gelaten heeft. Ik besef ook dat het antwoord misschien wel met het hele volgende verhaal te maken heeft. Luister maar.

'Hallo, zon.'
'Hallo.'
'Heb je mij iets te zeggen?'
'Als jij iets te vragen hebt.'
Hijgend en puffend ga ik op een steen zitten op weg naar beneden na zo'n 900 meter omhoog te zijn geklauterd. Om mij heen staan duizenden bloemen in alle mogelijke kleuren, een beekje kabbelt vriendelijk en geruststellend. Alsof alles best is. Dat is het ook. Maar wat de zon nu zei, was te gek!
Oké, daar gaat ie dan: 'Hoe kom ik van die hoofdpijn af bij het klimmen?'
'Gewoon oefenen.'
'Dus doorgaan?'
'Ja.'
'Tot en met de Jungfrau beklimmen?' (Die is 4158 meter hoog.)
'Nee.'
'Zoals vandaag is het goed?'
'Ja, maar niet alleen.'
'Hoezo niet alleen, vriendje. Ik vind het best om samen met makkertjes te lopen, maar als ik alleen bén, kán het niet anders en ik vind het prima.'
'Niet alleen.'
'Maar met wie dan?'
'Met mij.' Niet te geloven! En wat een lichtheid en humor.
Het is nu half acht en de zon is bijna weg. Ik moet me

haasten om nog samen naar beneden te kunnen lopen! 'Hai, zon, ik loop mét je! Maar ik kan je niet aankijken, je bent te schel ...'
'Ik zorg wel voor een wolkje.' Al verder lopend naar beneden denk ik vaag dat ik dít toch wel zelf bedacht zal hebben, maar even later kómt er een wolkje! Iedere keer als we een paar zinnen uitgewisseld hebben, stop ik, gooi mijn paarse rugzak op de eerste platte steen die ik vind, rits open, blok eruit en gauw schrijven. Om niet in tweede instantie iets te verzinnen. Het is té leuk. En: 'Ja, het ís lastig om benen te hebben als je zo'n steil bergpaadje van gruis en grove stenen af wilt lopen. Maar het is ook heel prettig om mens te zijn. Je beleeft de gekste dingen en van alles wat zéér de moeite van het benen hebben waard is. Ook al zijn ze nu kapot van het lange lopen', ratel ik verder tegen de zon.
Ik voelde me vandaag beschermd op mijn tocht door de hoge bergen en gletsjers. De beken en watervallen gaven me ook al zo veel gegiechel en gespartel. Reuze lol. Zo heerlijk om niet afgesloten te zijn. Samen te zijn met al dat bruisende leven om me heen. De zon nam op het heetst van de dag wolkjes voor zich om niet te véél te zijn. Later op de dag, toen het koeler werd, kwam hij weer helemaal tevoorschijn. De wind is mij ook heel erg ter wille geweest. Er was altijd een briesje en ik denk dat het wolkje het spelletje meespeelde door net voor de zon te schuiven ... Een uitstekende samenwerking van de elementen. Alles was er weer!
Vandaag bleek het zeker een voordeel om zonder vrienden te lopen.

De volgende wandeling maak ik enige dagen later met twee vriendinnen. Het is een prachtige dag, met een stralend blauwe lucht en een zacht zomerbriesje.

Na een paar uur wandelen zijn we dicht bij de top van een bergpas. De meiden zijn moe. Het is hun eerste dag hier in de bergen. Ik heb vreselijke zin om over de pas heen te kijken en besluit alleen verder te gaan. Dwars door de velden heen, steil omhoog. Iedere keer als ik denk er te zijn, is er nóg een heuvel. Verder en verder ga ik, kan niet meer stoppen, ook niet meer rusten, ik móet daarboven zijn. Een waas vormt zich voor mijn ogen, een soort stijgkoorts begint mij te beheersen. Dan word ik me ineens bewust van de wind. Een harde schrale wind die almaar aan mij trekt. Wordt het slecht weer? Moet ik om mij heen kijken of ik wel verder kan? Komt er storm of onweer? Zo schudt de wind mij wakker uit mijn koppige doelgerichtheid en ik zie dat de zon niet meer schijnt. Hé, als de zon er niet meer is, doe ik dan iets verkeerd? We zouden toch samen wandelen! Omhoogkijkend zie ik dat het nog minstens een dik halfuur stijgen is naar de pas. Ik voel hoe gespannen ik heb gelopen, ik heb een hoofd als een biet. Het wordt laat, de vriendinnen zitten beneden in het weiland te wachten en ik kan natuurlijk een andere keer de pas beklimmen langs het gewone wandelpad. Waar was ik mee bezig? Ik draai om en loop naar beneden. Tien passen lager komt de zon weer tevoorschijn en die middag gaat hij niet meer weg. Verbeelding?
Voor het eerst na een hoge wandeling heb ik die avond geen hoofdpijn.
Geen verbeelding.

De zomer eindigde met een hele nare ervaring. Een tragisch en op dat moment onoverkomelijk misverstand met een mij zeer dierbaar persoon. Ik was er ziek en ellendig van. Kon nauwelijks uit mijn ogen kijken. De allerlaatste dag ben ik weer alleen en ik kan Zwitserland niet verlaten zonder een laatste wande-

ling en wel naar die bergpas. Ondanks het bonkende hoofd en de pijn in mijn maag pak ik mijn rugzak met water en boterhammen en neem de auto naar de andere kant van het dal. Rijd het kronkelige, met grove stenen bezaaide zandpaadje springend en dansend omhoog en laat de auto daar aan de voet van de berg achter. Deze keer neem ik het gewone bergpad en boven gekomen ga ik zitten uithijgen en genieten van het waanzinnige uitzicht. Eindeloos ver zie ik de bergtoppen aan beide kanten van de pas. Ik eet wat, ga liggen en sluit de ogen. Als ik ze opendoe, komt daar midden in de bergen, boven op die pas een 'engel' naar me toe, in de vorm van een oude man. Hij is op de hoogste toppen geweest en brengt mij naar beneden. Blij is hij als ik lach, 'want je moet Zwitserland blij verlaten!' zegt hij. Alsof hij wist ...
Ieder woord dat we spraken was waardevol. Beneden gekomen hield hij mij even vast, hij zei dat wij dat allebei nodig hadden. De enige auto's die onder bij de herdershutten, tussen de koeien stonden waren de onze, bil aan bil. Ieder een andere richting uit.
Ook zo werken de onzichtbare energieën.

Als kind was 'buiten' een toevluchtsoord, een weldaad. Een noodzaak voor mijn mentale evenwicht. Ik wist toentertijd niet dat de natuur mij van haar energieën gaf, ik ontving onbewust.
En nu, nu ga ik zitten en vraag aan de zon, die zich vandaag laat zien: 'Waarover zal ik schrijven?' en ik hoor: 'Jezelf.'
Ik begrijp dat, door over mijn langzame en toch intensieve proces te schrijven, ik duidelijk kan maken dat hoe eerlijker je de confrontatie met jezelf aangaat, des te dieper kan je je met de natuur verbinden.
Mensen kunnen natuurlijk op heel verschillende manieren verbonden zijn met de natuur, via een hond,

een kat, vogels en wat we nog allemaal meer in huis kunnen halen. Anderen zijn volledig onbewust op hun eigen manier in contact. Het enige dat ze missen, is het gesprek en daarmee de kennis van de aanwezigheid van die dimensie. De wederkerigheid. Misschien is het om het even. Gaat het om waar je naar op zoek bent. De lama's, in het Himalaya-gebergte, leven in volstrekte onverschilligheid ten aanzien van de wereld buiten hun directe leefomgeving. Hun schijnbare onverschilligheid is niets anders dan een 'erbuiten' blijven. Ze zijn met andere dingen bezig. Hun harmonie en levenskracht zijn hun aandeel aan de wereld. Of ze genieten weet ik natuurlijk niet, maar de simpele heldere levensvorm draagt bij aan de positieve energie. Hoe kun je leven *in* de wereld van de mensen, eraan meedoen en tegelijkertijd deel zijn van de wereld van de geest en daaraan meedoen?
Bij Martha ontstond mijn bewuste keuze de confrontatie met het leven, de aarde in al zijn stoffelijkheid aan te gaan. Juist via dat lichaam wil ik verbonden zijn met de metafysische kant van het leven. Met het wezen van dingen. Mijn nieuwsgierigheid naar wat áchter de dingen ligt, heeft de antennes gescherpt die mij steeds dichter tot de essenties brachten. Natuurlijk heb ik wel eens verlangd naar de rust van de afzondering, maar nooit ben ik écht uit de wereld gestapt om mij in alle eenzaamheid te verbinden met het Al. Ik vind het leven veel te leuk en de wereld zoals die is, kun je niet zomaar ontkennen. Daar gaat het volgens mij juist niet om. Mijn keuze is dus eigenlijk al lang geleden gemaakt: ik wil deelhebben aan beide werelden. Oftewel: het volle leven van een mens die besloot te incarneren. Lichaam én geest in vol bewustzijn beleven in de realiteit van de wereld van nu. Beide realiteiten wil ik verbinden. Geïntegreerd. Bewust. Mijn levensweg, met al die duizenden

grote en kleine beslissingen, heeft mij hiernaartoe geleid. 'Heilige onverschilligheid', waarschuwde de oude helderziende vrouw, die zag dat ook ik kapotging aan de ellende van de wereld. Nee, mijn plaats is niet in een klooster, ik hou juist óók van deze verbijsterende wereld, en de wereldse dingen. Niet bij de lama's zou ik willen zijn, hoewel zij zo duidelijk bezig zijn te léven, temidden van en samen met die prachtige natuur. Mijn manier is ook niet spirituele ervaringen te hebben buiten mijn lichaam, wat veel 'begeestigde' mensen doen. Zij kunnen reizen buiten hun lichaam en zulke fantastische dingen. Bij mij gaat het om de verbinding met de essenties, de wezenlijke kern van de dingen, *in* de wereld, in mijn lichaam. Van daaruit kan ik de meest boeiende ervaringen opdoen, zo ver weg als nodig is. Waarom heb ik anders gekozen te incarneren? Maar hoe 'leef' je die verbinding? Het wordt er niet makkelijker door. Een óf/óf keuze, waar ik een tijd mee bezig was: eerst de ene kant van de politiek, het feminisme, de vredesbeweging (om maar een paar strijdpunten te noemen), en daarna de andere kant van de spirituele ontdekkingen en ervaringen, die gaat voor mij niet meer op. Het is de én-én weg voor mij. Een evenwicht tussen twee realiteiten.
Ik ga stil zitten en open mij voor mijn ruimere bewustzijn. Ik vraag: 'Hoe zal ik verdergaan?' Het antwoord luidt: 'Leef in verbondenheid met *alle* elementen om je heen, de zichtbare zowel als de onzichtbare.' Ook nu weer zie ik het verband waarin dit antwoord gegeven is en begrijp dat het alleen kan met vallen en opstaan, met al mijn vraagtekens en mídden in mijn menselijke dualiteit. Die ligt niet tussen de geest en de wereld, maar tussen het donker en het licht en de schaduwzijden ertussen. In andere woorden: tussen verbonden en losgekoppeld, in communicatie of in descommunicatie met het licht van het leven.

Middelpunt. Welk middelpunt? Mijn middelpunt, waar ik regelmatig vanaf zwiep. Hoeèp, daar zwiep ik weer met een rotvaart een hele kwade bui in.
En dan zie ik dat sprietje van een kind ineengedoken in de keuken zitten, grijs van ellende over de ruzie, die *ik* natuurlijk weer gemaakt heb, en mijn hart smelt. Na nog enkele stuiptrekkingen kruip ik met moeite naar mijn centrum terug en overleg als een redelijk mens met – er is op dit moment niemand anders – mezelf. Het is natuurlijk bespottelijk wat die vrouw wil, maar ik mag de kinderen mijn keuzen niet opleggen. Laat ze hun gang gaan, ze zijn oud genoeg om hun eigen ogen te gebruiken en, als ze een 'fout' maken zoals ikzelf zovele malen maak, dan is dat hún leerstuk. De schaduwzijde aanvaarden, meisje, de mijne, die van de kinderen in ál hun keuzen.
Als ik mijn strenge reactie visualiseer als was het een menselijk figuurtje (dit is een methode om iets over jezelf helder te krijgen, waarin ik ben geoefend tijdens mijn intuïtieve opleiding en waarmee je moeilijke situaties met een zekere afstand kan bekijken in beeldvorm, waardoor een probleem lichter kan worden), ziet die eruit als een hele stijve meneer in kostuum, die mij met een zwierige scheve buiging begroet. Eerlijk gezegd ziet hij er nogal ouderwets uit. Ik vraag hem waarom hij zó streng is en of hij nog wel bij mij past; als antwoord verandert hij in een stekelvarken. Dat voelt wezenlijk prettiger. Een kleine, voor mijn part venijnige, prik om mijn grenzen aan te geven kan geen kwaad. En misschien doe ik op een enkele punt wel een beetje gif, lekker puh.
Ik ga door met mijn visualisatie en vraag aan het redelijke deel van mijzelf hoe het eruitziet in verkleinde, maar menselijke vorm. Nou, dat ziet eruit als een moeke achter de theepot. Altijd geduldig en begrijpend staat ze klaar voor iedereen. Een tikkeltje zelfop-

offerend. Ze lijkt uiterlijk op haar theepot. Rond, braaf, onveranderlijk. Stel je voor dat er geen zwiepers bestonden naar mijn ex-meneer in rokjas, wat een onhaalbaar voorbeeld zou dat zijn voor mijn kinderen om na te volgen, later.
Hoe kan ik beschrijven wat ik allemaal meemaak? Sta ik op mijn kop, of ben ik anders andersom? De wereld lijkt zo anders. Ik rijd langs de dijk, de zon schijnt laag in het water, grote logge rivierboten varen door het midden van de rivier. Laag en volgeladen, de andere hooggelegen leeg. Aan de twee kanten van de donkere boeg vormt het schuim zich als een snor van een dandy in smoking. De scherpe voorkant lijkt een neus daartussen.
Wat doe ik in godsnaam op deze aarde? Waarvoor ben ik er, waar ben ik voor, waarvoor ben ik? Voor mezelf, voor de rivier, voor de zon, voor de aarde? Deel van de aarde, dat ben ik zeker. Steeds meer. Ik voel de stoffelijkheid, de nabijheid van al wat daarmee te maken heeft. Voetjes in de aarde. Ook dat steeds steviger. Soms voel ik me meer zusje van de aarde en al wat daarop groeit, dan van de mensen. Slingerdeslinger gaat de weg over de dijk. De vogels vliegen laag over het strakke land. Een kind rijdt op de brommer, rugzak achterop, van school naar huis. Ik weet het niet meer, het is zo anders nu, nu ik dichter bij jullie ben, lieve bomen, lieve bloemen, wolken, zon, broeder wind, zuster water. Een ding is zeker, het land hier biedt een eindeloze ruimte ... De zon schijnt over verre horizonten met een bleek herfstlicht. Er wordt gegraasd in het malse weiland, er wordt gekwaakt in de sloten. Twee prachtig gekleurde mannetjesfazanten die aan de geweren zijn ontsnapt, staan trots langs dit weggetje. Blauwen, grijsblauwen, grijzen, gelen, geelblauwen, rossige herfstkleuren, groen.
De bunkers uit de oorlog staan nog steeds in het land-

schap, om ons te herinneren. Waarom krijgen kinderen toch zoveel films over geweld te zien? Een heerlijke etenslucht komt vanuit een boerderij naar me toe gewaaid. Mijn lichaam vraagt een nieuwe manier van eten en drinken. Anders, maar wat? Het komt door de uitnodiging aan de natuur-energieën om dwars door mijn lijf te gaan. Door de verhoogde gevoeligheid voor hele subtiele energieën waar ik nu al die tijd mee bezig ben. Nu blijkt het dat dit een aanpassing vraagt waar ik niet goed raad mee weet. Ik laat de koffie staan. Het vlees. Probeer eens dit en dan weer dat. Ik ontdek dat het meer gaat om de waarde van de etenswaar te waarderen, dan een bepaald regime te volgen. Aandacht voor de levenskracht in de voedingsonderdelen. Deden de Oude Volken dat ook niet? Niet hapslok eten tussen het praten door. Respect tegenover mijn lichaam. Hetzelfde respect als ik voor de aarde heb. Of andersom. Alleen dát eten wat werkelijk voedend is. Als ik bedenk dat in alle celletjes licht zit, van de tomaten en de bonen ook, dan wil ik datgene eten met het meeste licht erin. Ik bedoel: de tomaat die in een kas gerijpt is, heeft natuurlijk lang niet zoveel licht in zich als de tomaat die in het vrije zonlicht en de malse regen groeide. Eigenlijk kun je wel zien hoeveel licht er in de verschillende voeding zit. De ene straalt gewoon helderder dan de andere! Nu we uit de vele onderzoeken die er gedaan zijn over het gevoelsleven van de planten*, weten hoe zij reageren op liefdevolle aandacht, zijn de tomaten die met aandacht verzorgd zijn natuurlijk wel het allerstralendste! We hebben elkaars stralendheid nodig. Het ís pure voeding voor je lichaam én voor je eigen licht. Vitale energie. Al wat uit gezonde (mooi woord: gezon-de) aarde komt, gerijpt in die zonnestralen. De

* Zie: Peter Tompkins/Christopher Bird, *The Secret Life of Plants*, Penguin, Londen 1975.

levenssappen gaan over in mijn levenssappen. In tegenstelling tot de dode energie van voedsel dat geen licht bevat. Eerder in dit boek schreef ik over dr. Popp met zijn ontdekking van de biofotonen. De laserstraaltjes die informatie overbrengen. Dan is het ook zo, dat de informatie die mijn lichaam van de vitale tomaat krijgt, een gezonde, vitale informatie is aan ál mijn cellen. Terwijl de kasplantjes een doffe vreugdeloze informatie doorgeven. Wat gebeurt er met je lichaam als je alleen maar fastfood eet? Welke informatie wordt er dan overgedragen? Ik moet er niet aan denken! Alleen al dát te veranderen in je leven, zal ongetwijfeld enorme consequenties hebben!
Al kokend geef ik aandacht aan het voedsel.
Aandacht en liefde zijn de sleutelwoorden om het binnenlicht aan te steken.
Ik heb zin om te dansen. Het pontje vaart over, het is kwart voor vijf. Over een uur moet ik staan koken voor de hongerige kinderen. Ik heb helemaal geen zin meer in die regelmaat. Ik wil koken als een onderdeel van het ritme van de dans, mijn levensdans. Ik wil overvaren op het pontje voor mijn plezier, zonder haast, zonder verplichtingen die op mij wachten en me voortjagen.
Keuzen, keuzen, altijd keuzen. En dat is er één van. Ik schrijf om te schrijven, zomaar voor mezelf en om al dat mooie te delen. Ik denk dat dat de bedoeling is. Hoe meer mensen vertellen wat ze weten en meemaken van de metafysische wereld, des te bereikbaarder wordt deze realiteit. Als dit gelezen wordt door iemand die met dezelfde dingen bezig is en met dit boek net de steun krijgt om ermee door te gaan, want het is nu nog een tamelijk eenzame weg, dan schrijf ik ook dáárom. Niet zozeer om begrepen te worden. Noch is er een heilige stem die mij de opdracht geeft dit alles te schrijven. Ik wil het zelf. Die diepe behoefte anderen

deelgenoot te maken van wat ik ervaar. Te vertellen dat het oppervlakkige niet de enige realiteit is.
En als jij tot soortgelijke ervaringen gekomen bent, vertel er mij dan niets van! Leef het! Ervaar! Vertel het om je heen en vind je eigen weg erin.

De uitstraling die je ziet van de gezonde tomaat, net als je eigen innerlijke straling die om je heen staat, is de ragfijne energie die aura genoemd wordt. Als je die kunt voelen, en dat kunnen we allemaal leren als we daar zin in hebben, ontdek je dat je door de helderheid ervan een gevoel krijgt over die tomaat of die persoon. Bij ons mensen staan onze gedachten in onze aura-rand. Die trekken gelijksoortige gedachten en mensen die daarbij horen aan. Iedere aura heeft een andere frequentie en vibratie. Een ander ritme. Omdat iedereen en alles uniek is. Iedere cel waar dat bewegende lichtje in zit, is in constante vernieuwing. Er is ook een soort cultuur-ritme van je leefomgeving, je land. Daar voel je je over het algemeen wel bij, waarschijnlijk omdat jouw ritme zich daarop heeft afgestemd. Vanaf je geboorte heb je je daaraan kunnen aanpassen. Iemand uit een andere cultuur heeft niet alleen van zichzelf een andere aura-trilling, maar ook een ander cultuur-ritme, en het kost vaak moeite om én je eigen frequentie te handhaven, én je lekker te voelen in de cultuur-frequentie die oorspronkelijk niet de jouwe is. Vaak verstrak je dan je eigen ritmische straling, of je geeft die op. Met andere woorden, je stelt je verdedigend op, of past je aan. Het is echt heel moeilijk om je aura-trilling te handhaven op een open, natuurlijke manier in een omgeving die daar niet bij past. Zo ben ik veel mensen tegengekomen waarvan de aura zo delicaat was dat het leek of ze ziek waren. Wat er aan de hand was, als je daar op een andere manier naar kijkt, is dat zij het niet klaarspeelden

met hun frequentie te leven in de hardheid van de stad, de vervuiling etcetera. Anders zijn dan de gemene deler wordt meteen afgestraft met een etiket dat er meestal op neerkomt dat je niet 'normaal' bent. De enige uitweg uit dit dilemma is naar mijn ervaring zelf overtuigd te raken dat je wel degelijk normaal bent. Alweer een beslissing, en wel tussen het accepteren van verschillen of willen dat iedereen hetzelfde is.
Door al die jaren dat ik bevrijd ben van al die normen en rites van mijn omgeving en cultuur, voel ik dat ik rust vind. Dat ik blij ben met mezelf en met wat ik zie. En ik kom uit bij de oorspronkelijke trilling van mijn aura. Die waarmee ik werd geboren en die ook ik langzaam ben gaan aanpassen aan de gemene deler. Een zekere lichtheid en luchtigheid, die verscholen lagen achter de zwaarte van de verantwoordelijkheid en de plichten. Op dit moment is mijn aura gevuld met levensenergie, een openheid tegenover de natuurwezentjes, dansen, schilderen, schrijven, genieten van een actief leven met nieuwe doelen.
Daardoor kom ik mensen tegen die eveneens in een genietstadium terecht zijn gekomen en die hun tijd gebruiken om te zijn, en dát de zin van hun leven vinden. Iets minder doe-erig dus. Mensen die het de moeite waard vinden om zo te leven als ze willen en voelen wat goed voor ze is, en wat bij ze past. Een plek vinden waar ze ten volle zichzelf kunnen zijn, om zich verder te ontplooien. Innerlijk te groeien. Er zijn mensen die ervoor kiezen wat minder hard te werken. Een deeltijdbaan te nemen. Steeds meer werk wordt gedwongen gedeeld, waardoor mensen ongewild meer kans krijgen om zelf hun tijd in te delen. Niet werken wordt in ons calvinistische landje gezien als het oorkussen van de duivel. Maar een volle baan, wat naar mijn ervaring ook fantastisch kan zijn, is wel een ander soort genieten dan waar ik het hier over heb. Waar

ik het over heb, is een bewuste keuze ergens in je leven, om je anders op te stellen, anders te léven. Een zekere rust in te bouwen, waardoor je meer de kans krijgt om te voelen en te luisteren en ruimte kunt scheppen om binnenin je werkweek je hoofd wat op vakantie te sturen. Als altijd zijn het weer keuzen. Soms lijkt het geen keuze. Maar dat is het wel. Dat klinkt misschien makkelijk. Dat is het niet. Je kunt je omstandigheden je leven laten bepalen, of je creëert je eigen omstandigheden. Het is mogelijk dat op een bepaald moment een periode van hard werken juist is wat je nodig hebt. Het is mogelijk dat je juist daardoor een deel van jezelf ontloopt. Het is een lastige afweging en vaak een worsteling. Zelf heb ik het in fasen gedaan. Van een volle baan in een leerrijke omgeving heb ik bewust naar meer rust toegewerkt. Mijn lichaam gaf mij aan dat ik het natuurlijke in mezelf niet genoeg ruimte gaf, en op die weg terug naar mijn hele zelf was de natuur een belangrijke hulp en leraar. Ik ben daar waar ik graag wil zijn. Wat een heerlijk zelf gecreëerd privilege! Een hele oude vriend zegt: 'Er komt een tijd dat de mensen je vragen wat je doet, en dan antwoord je: "Ik doe niets, ik ben."' Ik ben aardig deskundig in het kunnen, ik oefen mij deskundig te worden in het zijn.

Uit mijn dagboek: Véél *spinner*dolfijnen in de baai! Zwemvliezen aan, snorkel op. We zwemmen uit om 6.00 uur. Het water is nog wat koud en de spanning is groot. Ik ben best een beetje bang voor die grote dieren, die zich in hun eigen terrein in hun element voelen, terwijl ik geen echt watermens ben. Ik heb daarbij nog nooit in de Stille Oceaan gezwommen en die is groot en diep! Terwijl wij die eindeloze oceaan tegemoet zwemmen, zijn ze daar ineens in mijn besnorkelde gezichtsveld. Tien, twintig, nee zevenenveertig zijn het er, met kleintjes erbij ... De spanning en angst vallen onmiddellijk weg en maken plaats voor een gevoel van rust en totaal vertrouwen. Onder mij zie ik hoe de eerste zonnestralen zich bundelen tot één punt. De groep dolfijnen zwemt daarin voort. Wonderlijk mooi in de stilte van onder water. De tijd glijdt voorbij, bestaat niet meer. Alleen nog deze stilte met de grote wezens daar in de grijs-blauwe schemering. Vanuit de diepte komen er twee naar boven, iets vóór mij. Ik zwem erheen, ze wachten op me, de ene kijkt met een schuin oog naar me, heel dichtbij. Ik kan alleen maar zeggen: 'Hallo, hallo, hallo' ... Ik voel me zó dichtbij en bezield. Het is opwindend en nieuw en kijken, kijken, kijken en voelen. Denken kan nu helemaal niet, dat komt later. Stel je voor, ik zwem in de OCEAAN! Met DOLFIJNEN! Dit is geen sprookje, maar heus en echt de werkelijkheid. Grens-loze, eindloze liefde dringt langzaam tot mij door. Ik neem het op, zwem tussen en met die prachtige gave en krachtige lijven en geniet van het spel en de vreugde die zij uitstralen. We hebben daar zeker een uur of twee zo samen gezwommen.

Bij een ontbijt onder de palmbomen heb ik anderen deelgenoot gemaakt van mijn verhalen. Met Joan, die iedere dag met de dolfijnen zwemt en ze telt en bestudeert, hun spirituele boodschappen opschrijft en in een boek heeft weergegeven*, twee andere vriendin-

* Zie: Joan Ocean, *In dialoog met dolfijnen*, Ankh-Hermes, Deventer 1993.

nen en ik. Ik voel me boordevol energie en blijdschap, alsof ik en alles om me heen gehuld is in een stralend licht. Is de energie, de trilling van de dolfijnen zo hoog? Een uur later ben ik doodmoe. Ze hebben daadwerkelijk iets met mijn energiesysteem gedaan. Zo zwem ik een maand lang om zes uur 's ochtends met dolfijnen en iedere dag gebeurt er iets waar ik van leer.

Je kunt natuurlijk ook zómaar met de dolfijnen zwemmen en spelen en hier intens van genieten. Maar als je met je volle aandacht luistert en voelt is er zoveel meer dat zij je kunnen en willen geven. Het vraagt een gevoeligheid die we allemaal kunnen opbrengen voor iets 'anders' dan verwacht en bekend. Net zoals de muziek van bijvoorbeeld Stockhausen je in totaal onbekende gebieden brengt, omdat hij het tonale verlaat. Het contact hiermee opent andere delen van de opslagplaats van informatie die we in ons meedragen uit eerdere levens en ervaringen. En dan brengt het een nog grotere glimlach op gezichten en je voelt dat je lééft. Dolfijnen zijn wezens die verbindingen leggen tussen hemel en aarde. Het lijkt of ze *bewust* licht in geluid transformeren. Ze brengen het licht, dat pure energie is, in verbinding met geluid, dat materie is. Daar zijn ze natuurlijk niet uniek in, maar wel specifiek voor de dolfijnen is hoe ze de deken van water op aarde als formidabele geleider gebruiken om kosmische energieën te verbinden met de energie van deze planeet aarde. Ze zijn schijnbaar zelf de transformator en het feit dat ze in het water zijn, maakt dat mogelijk. Ze weten waar mensen zwemmen en vinden je zó als ze daar zin in hebben. De verhalen over dolfijnen die mensen redden, kennen we allemaal. Dat we vreselijk veel van dolfijnen kunnen leren, dat is wel duidelijk. Mij leren ze op dit moment hoe je in beelden kunt communiceren. Ze pikken je gedachtenvor-

men op als beelden en geven beelden terug. Plaatjes. Eigenlijk net zoals bij een lasershow plaatjes in de lucht worden geprojecteerd, zo doen wij dat met onze gedachten, die de dieren en de bomen en de planten dan oppikken. Precies zo geven zij hun 'antwoorden' terug. Wij kunnen die opvangen in beelden, of in woorden, die je binnen in je hoort resoneren.
Er zijn nu steeds meer mensen die in gesprek gaan met dolfijnen. We doen dat ieder op onze eigen manier, via beeldentaal. Het schijnt dat dolfijnen in een voortdurende alfa-staat verkeren. Dat is een diepe laag van ontspannen bewustzijn, waar je in meditatie naartoe gaat, waarbij je veel breder waarneemt dan zoals wij gewoonlijk waarnemen, omdat de door ons bedachte grenzen wegvallen. Het is interessant dat steeds meer mensen mediteren en zich oefenen in dat bredere bewustzijn. Dat zou de reden kunnen zijn dat zo opvallend veel mensen met dolfijnen communiceren of minstens dicht in hun buurt willen zijn en dat dolfijnen zo dikwijls in dromen verschijnen. In die ontspannen staat ben je makkelijker verbonden met je omgeving.

We hebben een peddel van de kajak verloren terwijl we zwommen en er niets van gemerkt. Dolfijnen zwemmen langs. Een rij van zes of zeven gebogen vinnetjes, keurig achter elkaar aan, in golvende beweging. Iets verderop en precies achter ze ligt nog iets zwarts, de peddel! Het lijkt een spelletje voor ze. Samen met Joan zwem ik met twee *bottenlose*-dolfijnen. Zij zijn onder water met een plastic zak aan het spelen, zoals je met een bal kan doen. De ene laat los en de andere vangt op. Met zijn vieren hebben we een paar minuten zo 'plastic zakje' gespeeld! In het licht van de zonnestralen onder water en in die wonderlijke geluidloosheid, waarin alleen de hoge tonen van de

dieren te horen zijn. Beelden van mijn prilste jeugd komen onweerstaanbaar naar boven: eenzelfde licht, door de spijltjes van mijn bedje, zachte kleuren en een vredige rust, veiligheid. Wonderlijk hoe deze dieren rust, veiligheid en liefde om zich heen verspreiden. Dan heb ik op een vroege ochtend contact met één grotere manlijke dolfijn. Ik heb hem daar onder water schaamteloos alles over mijzelf verteld en om advies gevraagd. Niet als therapeut, maar als heel wijs wezen. Ik krijg alweer een uniek antwoord dat ik zélf niet had kunnen bedenken. Iets ervan wil ik vertellen.
Op mijn vraag hoe ik verder moet met alles wat ik nu weet over het contact dat wij mensen kunnen hebben met de levensvormen in de natuur en over het contact dat zij hebben met plaatsen in de kosmos, of ik mij in het diepe moet storten door erover te schrijven, dus: ermee naar buiten moet komen, kreeg ik te horen: 'Je hoeft nooit meer bang te zijn. Nooit en voor niets. Blijf in deze baan van energie. Je krijgt alles.' Steeds maar weer hoorde ik het, tot het werd tot een echo onder water. Alles, alles ... en toen ben ik achter de dolfijn aan gedoken zo diep ik kon als een teken van commitment te *vertrouwen* dat ik alles krijg ... Het was alsof er een baan van energie naar me toe kwam. Daarna voelde ik me vrij, sensueel en behagelijk als in een warm bad thuis. Tot slot kreeg ik een douche van bubbels toegestuurd als heling.
De volgende dag komt veel treurigheid naar boven. 'Je krijgt alles', ach, ik heb in mijn leven zo mijn best gedaan. Zo hard mijn best gedaan. Deze dag zeggen de dolfijnen: 'Shit it out!' en doen het mij voor door in mijn gezicht, gelukkig heb ik het masker! uitbundig te poepen en te plassen.
Nou daar gaat ie dan: ik heb me in de steek gelaten gevoeld bij huwelijk en scheiding, ik ben steeds weer opnieuw begonnen, alleen, heel veel alleen ... ik ...

hoe moet ik vertrouwen als mensen mij in de steek laten ... hoe kan ik zomaar alles krijgen als ik zo heb moeten vechten om mijn eigen weg te gaan ... het bestaat niet, het kan niet, zo zitten de dingen toch niet in elkaar. 'Shit it out!' 'Accepteer! De shit van de dualiteit. De shit van het menselijke onvermogen. Je eigen blindheid en onvermogen.'
Na een dagje pijn voelen, teleurstelling doorleven daar buiten naast de geduldige deining van de oceaan, vliegt er een vlinder over me heen. Keer op keer de transformatie.
De dolfijnen brengen ons het evenwicht terug. Dolfijn, je laat me werelden zien die ik niet kende. Zijn die in je gedachten, leef je daarin, ben je ermee verbonden en vang ik zó je beelden op? Transformatie, communicatie, verbindingen leggen, evenwicht, dit alles in onvoorwaardelijke liefde, zijn de woorden die ik met jullie verbind. Als ik veel later de boeken lees die vertellen over de belevenissen van mensen met dolfijnen en hoe de interactie met hen het leven van al deze mensen veranderde, dan bevestigt dat mijn eigen ervaring dat ze ook de kracht hebben van directe communicatie op persoonlijk niveau, waardoor het individu kan veranderen. Ikzelf ben door dit intensieve contact tot in de diepste lagen van mijn wezen geraakt en daarmee wezenlijk veranderd.
Ik kom in contact met hoe alles met zoveel liefde in elkaar is gezet. Beter gezegd: alles is met zoveel liefde in elkaar gezet. Daar buiten aan het water voel ik het gebundelde licht dat boven de baai hangt en de liefde die ervan uitgaat vult mij. Sirius? Ik heb in verschillende boeken gelezen dat de dolfijnen verbonden zijn met deze ster en met alle krachtenvelden die daarachter zitten. Hoe weten mensen dat? Moet ik me ermee verbinden?
Gisteren een grote groep. Ze kwamen ons halen en

omringden ons. Ze keken ook mij aan en zwommen zo dichtbij dat ik tegen ze aan had kunnen botsen. Had zo'n zin er eentje aan te raken. Ogen, neuzen, vinnen, lijven. Hallo, hallo, hallo! We zien elkaar, ogen ontmoeten, sonars voelen en tasten af. Ik, bij gebrek aan sonar, zet al mijn zintuigen open en ik richt mij op het ontvangen van iets, wat dan ook, maar waarschijnlijk onbekend en onverwacht. Ik geniet weer van de prachtige sterke lijven. De beheersing van hun lichaamskracht. Precies afgemeten bewegen ze met minimale energieverspilling. In de staart zie ik reflexen van de regenboog. Drie keer steek ik mijn hand uit. Maar iedere keer zwemt de dolfijn nét iets weg, met een bijna onzichtbare beweging van de staart, zodat dat niet lukt. Het is duidelijk niet de bedoeling deze intelligente, vrije zoogdieren aan te raken. Alleen in gevangenschap, in de dolfinariums kan dat, maar over het algemeen niet 'in het wild'. *Als* een mogelijkheid zich voordoet om een dolfijn aan te raken, zal dat alleen van de dolfijn zelf uit kunnen gaan. Respect is nodig, zeker ook ten opzichte van deze prachtige dieren.
De tijd staat stil daar onder water. Ik verlies me in het blauw, de bundels zonnestralen die spelen en me lokken als de dolfijnen, diep, diep de diepte in. Ik zou er kunnen blijven ... het is er zo vreselijk mooi, ja, die verleiding is er zeker. Misschien wel door de tijdloosheid, het licht dat danst en speelt. Zou het niet dezelfde kleur doorzichtig blauw zijn die we kenden vóór we in ons lichaam incarneerden en die we weer zullen zien straks? ... Als ik zou oplossen op dit moment daar in deze massa's blauw van de Stille Oceaan, gevuld met de onvoorwaardelijke liefde van de dolfijnen, zou dat heel makkelijk en simpel gaan. Wie weet doe ik dat ook werkelijk in flitsen van seconden, want soms heb ik het gevoel of ik er niet meer was, weet niet

meer wáár ik was. Weer dat gevoel van tijdloosheid dat je daar beneden krijgt. Een ervaring van in toekomst, verleden en heden te zijn op hetzelfde moment.
Tijd-loos – geen tijd – buiten de tijd. Zwevend, duikend, drijvend, golvend in het zachte water en in de speelsheid en fenomenale communicatie van deze kracht-gevende dieren.
Zo zwom ik de eerste ochtend van een volgend bezoek aan het eiland en de oceaan, met acht dolfijnen. Ze dreven heel langzaam onder mij en ik hoorde heel duidelijk: 'Maak contact.' Er zwom een dikke man in mijn buurt, die fanatiek probeerde bij de dieren te komen en helemaal niet zag dat er nog een menselijk lijf in zijn buurt ronddobberde. Ik deed mijn zwemmasker af en zei 'hallo', maar hij hoorde me natuurlijk helemaal niet. Dus ik wachtte tot hij zijn hoofd bóven water stak en toen lukte het. Maar de daaropvolgende dagen begreep ik dat het ging over contact maken met iederéén die ik tegenkwam, deze dagen op het eiland. Ik gaf daar een workshop en misschien had ik door mijn concentratie op het werk mij minder opengesteld voor anderen, als ik die boodschap niet zo helder had gekregen. De contacten die ontstonden, zijn dan ook diep en nuttig geweest en brachten mij ertoe om dit boek daadwerkelijk te schrijven! Dank je, dolfijnen!
Een boek schrijven over mijn ervaringen is niet zozeer interessant omdat het mijn ervaringen zijn, maar door onze spirituele ervaringen en inzichten uit te spreken én de levensweg erheen, stimuleren we elkaar en zo groeit een nieuw bewustzijn, wordt het een krachtiger energieveld. Ook ik wil luid en duidelijk vertellen dat er méér is dan de menselijke communicatievorm. Dat er meer is dan het zichtbare. Dat er ondenkbaar meer is dan de materiële kant van het leven. Net zoals dit boek niet alleen uit mijn hoofd tevoorschijn komt,

maar uit mijn hele zijn. En dát is nou juist de enige manier om met het levende om ons heen in dialoog te treden. Zoveel mensen hebben dergelijke ervaringen maar denken dat ze er alleen in staan.
Ondertussen hoor ik daar onder water hoge tonen als verre echo's vanuit de donkere diepte naar boven komen en er wordt uitbundig gespeeld. Mijn energiesysteem krijgt weer een enorme opkikker door in de buurt van de dolfijnen te zwemmen. Het is één groot feest van sámen-zijn. Samen spelen. Niet zozeer vraag en antwoord deze keer, maar totalere communicatie van het zijn.
Nog nooit zo dichtbij, in alle opzichten, met ze gezwommen ... Ik mag deel zijn van deze groep en voel me opgenomen in hun groeps-aura. Zij aan zij zwemmen we. Eerst toegelaten tot de *pod* (school), dan tussen twee dolfijnen in word ik meegenomen verder en verder de baai uit. Een soort energiestroom houdt mij verbonden met deze twee. Ze wachten op me. Dan gaan ook deze twee uiteen en ik zwem na enig aarzelen het mannetje achterna, omdat die duidelijk naar mij kijkt en ik denk dat hij me mee wil nemen. Hij brengt me weer terug, de baai in. Na lang zwemmen merk ik dat ik in een cirkel word meegenomen. Ik begrijp niet wat hij me duidelijk wil maken ... ik vraag maar: 'Wat moet ik begrijpen?' Cirkel na cirkel trekken we. 'Wat ...?' Geen antwoord. Uiteindelijk kijk ik naar beneden, naar de zeebodem, die hier vol koralen zichtbaar is. En ja hoor: onder mij de zevenpuntige ster van wittig en grijzer koraal ... Ik ken deze plek, ik ben er nu driemaal naartoe gebracht. Het is een helende plek. Op dat moment van herkenning krijg ik een intense stroom liefde toegestuurd en het volgende moment is het dier wég. Ineens, totaal. Wat moet ik met die ster? Een tijdlang heb ik erboven gehangen, ernaar gekeken. Het beeld van de ster in mijn hart ge-

nomen en toen een vuurwerk van sterren door mij heen laten buitelen en dansen. Als weer een bevestiging van mijn besluit om verder te gaan. Heel licht zwem ik terug door de zonnestralen in het heldere blauw van onder water. Verliefd. Verliefd op het leven, het licht, het water, de mogelijkheden die er zijn. Verliefd op de liefde in al het leven dat oordeelloos geeft en mij, ieder die dit wil, verder helpt naar een leven van blij en goed.
Ik lees: de zevenpuntige ster verbindt de driehoek met het vierkant en wordt wel gezien als de muziek van de sferen, de harmonie van de wereld, de mens in haar volle kracht. Zéven! Ja, dat betekent ook de totaliteit van het universum in beweging. Ik weet dat ik verbonden ben met de zevenpuntige ster. Die heeft mij door de moeilijkste momenten in mijn leven heen geholpen, mij doordringend van het besef dat alles verandert. Want verandering betekent leven.
Terug aan land denk ik er verder over na. Richt me op de ster. Ik hoor: 'Heal the bay' en begrijp dat wij mensen als schakel in de ketting van leven ons deel moeten doen. Ik moet mij niet minder voelen dan de kracht in het andere leven om mij heen, zoals nu de dolfijnen met hun intelligentie, hun helende kwaliteiten en spirituele vermogens. En, omdat ook ik helende kracht heb, moet ik díe kracht juist gebruiken en het dóen. Alle beetjes helpen. Vanaf mijn bed daar achter het muggengaas kijkend over het water, heb ik de baai geheeld.
Ieder mens kan iets wat een ander mens of een andere levensvorm niet kan, maar allemaal samen kunnen we behoorlijk veel en áls we openstaan voor de vermogens van ál het leven, kunnen we prachtig samenwerken. Die dag heb ik mezelf beloofd mijn helende vermogens ook naar de aarde te richten en het contact tussen mens en aarde te helpen vergroten.

Er zijn heel wat mensen die aarde-helingen geven, resonantietherapieën doen en dergelijke. Ik wil mijn bescheiden steentje daaraan bijdragen, op mijn manier.
Een zwarte krab schuift heel behoedzaam en niets vermoedend van al dit gefilosofeer naar het water toe. Iemand is een huis aan het bouwen, met nogal wat lawaai van boren en zagen, aan de overkant van de weg. Een jet vol passagiers vliegt over de baai naar zijn bestemming.

Ik voel me mooi, licht, doorzichtig. Delicaat, lichtgevend, stralend. Alsof in iedere cel een sprankeltje gouden licht is gekomen. Een her-geboorte. Deel van de hibiscus, de plumeria, de wind, het water, de vlinder, de dolfijn. Het spelen van de wind door de palmbladeren. Ik kan alleen maar liggen, niet eens slapen. Ik voel me deel van de ragfijne structuur van alles, dóór de vorm heen. Ik voel me de beweging van het grote mangoblad daar voor mijn bed. De wind die het beweegt, de kleur. Ik ben in die kleur, in die beweging. En toch ben ik apart, mezelf. Alles is vréselijk mooi. De schoonheid van de binnenkant is onbeschrijfelijk. Ik kan letterlijk geen woorden vinden die dit kunnen beschrijven. Het is ook te doorzichtig voor woorden. Te veel essentie om te benoemen. Wonderbaarlijk. Ik sta op en ga naar buiten om helemaal in de natuur te zijn en op het muurtje bij de oceaan zittend, ervaar ik hoe het is om dóór alles heen te kunnen voelen. Subtiele energie te zijn met het andere, op gelijke frequentie, vibratie ... Met het water, de golf en de spattende branding, de lava, het gras ... het is buitengewoon ... ik voel verder, ja ook met de enge aal, de tanden van de aal! De haai? Ja ook die en diens bek ... ik voel door Elizabeth, door de kokosnoot, het rubber bootje, de witgelakte ijzeren stoel, door plastic, mijn

handdoek ... álles. Daar komt een vrouw in een kajak aanpeddelen, door haar heen kan ik *niet* voelen. Dat wil dus zeggen dat er toch bepaalde energieën zijn die niet helder genoeg zijn om doorhéén te voelen. Interessant, en heel spannend is dit! Het voelt heerlijk, zo licht en sámen. Ik zweef niet, ben niet uit mijn lichaam. Ik ben gewoon ik en bij mijn positieven. Heb honger en ga een dikke boterham met tomaat eten.
Eén dag voor vertrek uit dit buitengewoon leerrijke plekje op aarde, zwem ik en kom een klein groepje dolfijnen tegen, met een jong. Ze hebben geen enkele zin om te communiceren en zwemmen diep onder mij, in een soort meditatieve staat. Waarschijnlijk zijn ze gewoon hun lekkere maal aan het verteren.
Ik zeg: 'Hè, toe nou, morgen is mijn laatste dag, ik ga weg. Ik heb zó veel van jullie gekregen, hoef niets meer, ik wil alleen maar spelen.' De jonge dolfijn draait zich langzaam om, kijkt omhoog en is in één sterke staartslag bij me. Het lichaam van rechts naar links buigend, naar boven, naar beneden en dan springt ze met een reuze vaart úit het water! Ik volg haar in al haar bewegingen, behalve de laatste ... Ze kijkt me steeds aan met een heel open oog en buigt zelfs het hoofd zo ver naar mij toe, dat er rimpeltjes in de zijkant van haar nek komen. Dat is ook weer een nieuwe ervaring. We hebben echt plezier samen. Dan, als er iemand bij komt, gaat ze weg.
De laatste dag peddel ik in de kajak samen met Elizabeth de doodstille baai in, de vroege dag tegemoet. Het lijkt alsof we helemaal alleen zijn. Zij zwemt heen en ik zal terugzwemmen. Er zijn geen dolfijnen te zien. Maar wel veel kwallen. Een soort draden zijn het, je ziet ze vaak niet, vooral als je tegen het licht in zwemt. Ik erger me eraan dat die dingen er zijn en ons, mijn, laatste zwemplezier na zoveel moois veranderen in irritatie. Dan zwem ik patsboem recht in een

hele grote knoop van kwallendraad. Slaak een onderwatervloek en zeg hardop dat ik hier zó niet weg wil gaan, in disharmonie met het water. Daarna laat ik de ergernis los en: *ik heb geen kwal meer gezien!*

'Je krijgt alles ...' Ja, maar wat is de volgende stap? Hoe kan ik mijn nieuwe richting uitzetten? Met wie? Ik ga stil zitten in een tijdloze staat van bewustzijn. Door me leeg te maken, mijn gedachten even weg te zetten. Dat lukt me steeds beter, gewoon door de oefening. Dit geeft me een veel ruimer bewustzijn, net als daarna onder water. Zó kan ik mijn ruimere ik een vraag stellen (soms wel 'hogere ik' genoemd, maar daar zit naar mijn gevoel iets van een neiging tot hiërarchie in), dat in verbinding staat met een veel weidser reservoir aan informatie. Een ander niveau. De vraag komt in me op: 'Waarom leef ik nú?'
'Om je deel te voelen van al het leven op aarde.
Om deel te zijn van alles.
Om plezier te hebben.'
'Waartoe?'
'Je kent het al. Het is goed dat je het weer wakker maakt.
Om de vreugde, het plezier.
Om anderen dat te doen voelen, dit te laten zien.
Om jezelf te helen. Niet meer bang te zijn.
Om te versmelten met.'
'Leidt dat tot een doel?' vraagt mijn calvinistische achtergrond.
'Wees het lichtwezen dat je bent. Wees licht, licht, licht. Het leidt tot verbindingen.
Leg verbindingen.
Voel verbindingen.
Ontdek ze en wees verbinding.'
'Enig praktisch doel?' Ik kan het niet laten ...
En ineens komt er dan merkwaardigerwijs in het En-

gels: 'Make yourself humble and feel, breathe, overcome your fear and be our ambassador.'
Oef ... dat is me wat. 'Hoe?'
'By feeling.'
O ja, dat zegt me meer. Maar:
'Wat doe ik met de ellende van de wereld, de hardheid, de rotzooi, en ...?'
'Love.'
'Ja, ik ken dat, die mensen als Martin Luther King, Gandhi ...'
'Ja.'
'Dus?'
'Trek je niets aan van negatieve uitkomsten, blijf in je hart, wees jezelf.
Het gaat om het licht, open je daarvoor en lach!
Regel niet. Reken niet op mensen, huizen, zekerheden. Vertrouw.
Vertrouw op de kracht van alles om je heen.
Leer te ontvangen. Vertrouw en ontvang. Wees een schakel.
Je bent een leid-ster, geef het door!'
De ster op de bodem van de oceaan ...

Toen ik naar huis vloog en door het vliegtuigraampje naar het laatste licht van een lange dag keek, 'zag' en voelde ik de enorme liefdesenergie die als een laag net boven onze aarde hangt. Het te zien, was als een schok. Die energie is er dus gewoon om ons te begeleiden, zomaar, en dit heb ik nog nooit gezien. Ook daar hoef je je alleen maar op af te stellen en je kunt het voelen. Het is toch niet te geloven waar we allemaal aan voorbij leven. Tijd. Rust. Openheid ten opzichte van onverwachte, onvermoede energie. Het is er allemaal. Als ik mij hiervoor afsluit, beginnen de onzekerheden, de angst en twijfel toe te slaan. Kan ik wel, ... kan het ... ben ik goed ... genoeg ... Ik voel mij, terecht, klein tegenover de immense wereld en het heelal. Maar zodra ik mij aansluit op het kosmische geheel is de onzekerheid verdwenen en weet ik veel meer dan ik alleen kan weten. Deel van een geheel. Verbinding. Het maakt me blij en energiek. Ik voel dat je aangesloten kunt zijn op een eindeloze bron van liefde en informatie. Mijn huiswerk heb ik hiervoor wel degelijk gemaakt, maar net als je de grammatica van een taal 'vergeet' als je die eenmaal spreekt, vergeet je hierbij wat je ervoor deed en geniet je van de resultaten. Wat dat huiswerk is, kan ik moeilijk zeggen. Mijn leven, denk ik. En wat daarvóór zat. 'God is never late' ... We maken onze eigen wonderen, maar niet alleen, niet afgesloten van het geheel der verbanden. Anders is het tóch geen wonder.

Thuisgekomen loop ik door de weilanden recht naar het water van de Lek, ik heb een sterk verlangen bij het water te zijn, waar ik nu zo'n stevige vriendschap mee gesloten heb. De rivier stroomt glad en rustig voorbij. Ik hurk neer vlak aan de rand van het bruine water en strek mijn handen ernaar uit. Zeg van binnen hardop 'hallo water, overal ter wereld', en het water komt naar mijn handen toe, als een groetje terug. Ik kijk op om te zien wat het water bewogen heeft. Er is geen boot te zien, het is windstil. Ik krijg er een kleur van en blijf ontroerd nog een tijd zitten.

Tussen de massa's mensen, velen met doffe ogen, is het verbluffend te zien hoeveel mensen her en der in de wereld hun binnen-lichtjes hebben ontdekt en aangezet. Het gebeurt overal: in de gevangenis, midden in een oorlog of in ons gezapige landje. Dóór, ondanks, vanuit het donker. Ze stralen als engelen, en je vindt ze door alle beroepen en leeftijden heen. Of het nou een timmerman is of een schilder, een tuinadvi-

seur of een dokter. Ze stralen iets uit van zachtheid en zekerheid. Ze staan open voor de magische momenten in het leven. Ze voelen en zien op een manier die verder gaat dan het direct tastbare, verder dan het cynisme en een toekomst in een driedimensionale wereld. Het lijkt wel of we in een spirituele versnelling terecht zijn gekomen en we naar een totaal andere mentale dimensie toe groeien. Het is helemáál opmerkelijk hoeveel jongeren in de laatste dertig jaar al zó, met hun lichten aan, geboren zijn en de lange weg die mijn generatie moest afleggen om onze knop te openen, of om te draaien, niet hoeven te gaan. Zij staan in open contact met hun eigen hogere informatie. Een ruime informatie, waarmee ze grote verbanden kunnen leggen en wat makkelijker vrij blijven van de gefilterde driedimensionale informatie die afstompt en onvolledig is. Het vinden van hun geestverwanten is niet altijd makkelijk, en deze jongeren voelen zich vaak vreemd, want ze zijn 'anders'. Staan we voor een ommekeer?
Overal waar ik kom, zeggen mensen de meest onverwachte dingen waar ik verbaasd van sta en waar mijn hart een klein vreugdesprongetje van maakt. Ruimere overzichten, multidimensionale inzichten. Mensen komen meer in contact met de fijnere energieën in zichzelf en om hen heen, de engelen, de onzichtbare wezens die bij ons zijn, ons beschermen of van onze ervaringen leren. Mensen denken anders over doodgaan en vorige levens. Het leerproces waar we hier op aarde mee bezig zijn als ziel.
Waartoe? Ik denk: om bij te dragen aan het groeiproces van al wat leeft in de kosmos. Als menselijke soort zijn we zeker niet méér dan de muis of de vlinder, en zeker niet meer dan de mier. Ook niet minder. Iedere levensvorm kan iets wat de andere niet kan. We zijn één geheel. En op deze aarde kunnen we niet zonder

elkaars aanvulling leven. In deel twee van dit boek vertel ik over enige ervaringen van deelnemers aan de verschillende cursussen die ik gaf met als thema 'Dialoog met de natuur', en ga ik dieper in op antwoorden die mensen kregen op de vraag wat iedere levensvorm voor speciale taak heeft en de plaats van de mens als soort hierin. Steeds meer mensen staan open voor de zin van de gebeurtenissen die hun overkomen. Ze leggen verbanden tussen leerrijke ervaringen in hun leven als ziel, op de reis door de levens heen. 'Toevalligheden' worden herkend als de juiste gebeurtenis op het juiste moment. Die toevallige gebeurtenis hebben ze zelf mogelijk gemaakt. Wat je uitzet, trek je aan. Je maakt je eigen leven.
We leven in een tijd dat mensen hun identiteit naar buiten willen laten komen en zich minder gauw scharen onder instituties. We luisteren net als vroeger nog wel braaf naar onze ouderen, maar nu willen we ons eigen leven inrichten naar onze eigen ideeën en inzichten, en willen we onszelf mét ons eigen denken meer laten zien. Mensen luisteren veel meer naar hun eigen oorspronkelijke informatie, hun intuïtie. We worden onze eigen goeroe, niet of minder afhankelijk van andermans autoriteit.
Tegelijkertijd bloeien het fundamentalisme en fascisme op als tegenpolen van de transformatie. Een heel groot NEE klinkt uit deze houding: verander niet, houd het oude vast, ik wil niet leren, niet horen. Het behoren tot de groep blijft daar belangrijk.
Twee uitersten van hetzelfde. Dat wat we mens noemen. We groeien, naar mijn eigenwijze overtuiging, naar onze spirituele verbondenheid met dat hogere bewustzijn, dat oeroude weten dat in onze cellen zit. Niet meer los van de liefdevolle wezens om ons heen in de kosmos en op en in de aarde. De hele planten- en dierenwereld is daarmee verbonden en straalt die

eenheid uit. Hierin zijn ze onze leraren. De wijsheid die zij met zich meedragen kan ons mensen helpen ons hart en gevoel weer te openen en méé te leven.

November: herfst in Zwitserland. Alles staat in vuur en vlam, met een stilte in de buik. Tijd om de uitbundige bloei los te laten en de komende ingekeerdheid van de winter rustig voor te bereiden. Dit jaar doe ik daar helemaal niet aan mee. Uitbundigheid is nog aanwezig in míjn buik. Een gevoel van intense pret die achter mijn woorden en handelingen ligt, net iets dieper, die zich aan anderen voordoet als een algehele opgewektheid. Misschien is dit juist de échte herfst. Wandelend in het zachte heldere licht van de bijna volle maan, de bergtoppen steken wit, zwanger met verse sneeuw af, voel ik me weer één met alles. De stoffelijkheid die wij delen is mij zo duidelijk nu. Ik ben verbonden in lichaam en geest. Is er niet een dergelijke formule wanneer je gaat trouwen? Het klinkt in ieder geval erg hoogdravend, terwijl het voor mij nu zo natuurlijk is. Ik weet ook niet hoe ik het anders moet zeggen. Het is wonderlijk de samenhang van mezelf als mens te voelen met de essenties van de elementen uit mijn omgeving. Dat te verwoorden is al moeilijk en de eenvoud ervan overbrengen is nog lastiger.
Kan deze verbondenheid alleen bestaan als je niet verbonden bent met het geraas van de wereld? Alleen als je erbuiten staat? Los?
Deze manier van leven vraagt wel een zekere rust. In de stilte van de rust kun je je verbinden met. Is het niet net als een steen of een plant die natuurlijk energie uitstraalt, maar dat in veel grotere mate doet als je je aandacht erop richt? Er in contact mee komt, je openstelt? De plantenwereld doet dat vanzelfsprekend, alleen wij mensen moeten met ons brein beslis-

sen om het te doen. Het gaat om sámen. Samen doen, praten, denken, voelen. De aarde delen.
Mijn collega en vriendin Lydia vraagt: 'Moet je niet erg ontwikkeld zijn om met deze dingen bezig te zijn? Als ik niet weet dat er gidsen zijn, dat de boom mij kracht kan geven, hoe kan ik die dan voelen, laat staan ermee praten?' Ik denk dat dat waar is voor mensen die intellectueel geschoold zijn, omdat veel van de oorspronkelijke intuïtie weggedrukt is door de boekenkennis die erin gepropt is. Ik denk dat vooral mensen die niet intellectueel geschoold zijn op een heel oorspronkelijke manier verbonden kunnen zijn met de natuur. Onbewust of bewust. Net als ik dat als kind was en de meeste kinderen dat nog zijn. Bergmensen bijvoorbeeld praten weinig, ik vermoed dat zij op de een of andere manier verbonden zijn met alles om hen heen. De 'echten' weten wanneer het weer verandert. Ze voelen het in hun lichaam. Ze 'weten' het. De woonwagenbewoners wisten vroeger (voordat ze gedwongen werden op vastgelegde standplaatsen te staan) dat ze op bepaalde plaatsen niet moesten gaan staan met de wagen, want daar waren kwade geesten. 'Daar slaap je niet 's nachts', werd er dan gezegd. 'Daar gaat het vuur uit, terwijl het hout goed is.' 'Daar worden de paarden ziek.' Ze waren dan duidelijk in contact met hun intuïtie die hun zei dat er slechte energieën om hen heen waren. Zij zijn in aanraking met hun creatieve psyche. Dat deel van jezelf waarmee je visualisaties kan maken, waarmee je mediteert, schildert, schrijft, voelt, weet ... Het instrument van je ziel is je verbeeldingskracht ...
Mijn nieuwsgierigheid naar het onzichtbare voor het driedimensionale oog, naar de ándere realiteit, de metafysische, heeft mij al aardig ver gebracht. Ik weet dat er nog veel meer zal komen, omdat er zoveel meer ís. Maar alsjeblieft zónder hocus-pocus en bijzónder en

bijzonder-heilig-doenerij. Dan heeft het voor mij geen enkele zin meer, omdat je dan met macht bezig bent. Met beter weten, méér weten en ga zo maar verder.

Uiteindelijk kom ik uit bij levenskracht. In de essentie van jou en mij, van al het levende, zit een levenselixer. De essentie vind je door te leven. Geïncarneerd in een bepaald lijf leren we onze lessen op de aarde, met het gegeven van de dualiteit. Daarin zijn wij bezig een autonoom mens te worden. Mentaal vrij. Vrij van onderdrukking, normen en regels, de heersende cultuurpatronen, autoriteiten in de vorm van ouders, politiek, groep en dogma. Vrij om de heel eigen vitale essentie in volle teugen de kans tot stromen te geven. Met alle onvoorzienbare gevolgen van dien. Vandaag sprak ik een meisje van zestien dat haar eigen weg gaat volgen, buiten de normen van haar cultuur om. Het is schokkend vòor haar ouders. Waarom is dit haar weg? Omdat ze dan in haar vitale kracht zit. Omdat dit haar weg ís. Dat behoeft geen uitleg in de vorm van verantwoording. Mij gaf het een bevestiging dat het precies daarom gaat, vaak buiten normen om. En, in opperste tevredenheid, zittend voor het haardvuur, voel ik mijn lichaam heerlijk wiegen. Meteen realiseer ik mij dat ik dat niet zelf doe. Ik ken het gevoel heel goed ... Ik krijg een gigantische omhelzing van Zoro! Ben je terug, of was je steeds aanwezig in een voor mij niet waarneembare vorm? 'Dat maakt niet uit', hoor ik en ik voel dat het voornaamste is mij over te geven aan het wiegen zelf. Wat is het leven verrukkelijk. Ik kan mij geen gelukkiger moment voorstellen. Wat wil ik in godsnaam nog méér van het leven. Dezelfde blijheid ken ik van mijn contact met de zon, de dolfijnen. Ik vraag, nu aan Zoro, hoe dat zit en krijg als antwoord dat het hetzelfde is.
'Hoe kan dat?' vraag ik hardop.

'Je hebt de essentie te pakken.' O ja, zo zit dat. Het levenselixer, de spiraal van leven, is de essentie in alles. Uiterlijk zijn de vormen verschillend, maar de kern vormt één geheel. Alles is één.
Ergens is er iemand die denkt dat de aarde zal exploderen.
Ik ben met mijn eigen levenselixer in aanraking gekomen en daarmee met de essentie van alles wat leeft. Het licht, een levensenergie, een drank van leven, voor de laatste fase van dit, mijn leven. Voor de eeuwigheid? Ik heb er zin in. Alles is mogelijk, in evenwicht met de natuur.

Deel twee

Oefeningen en voorbeelden, een handreiking

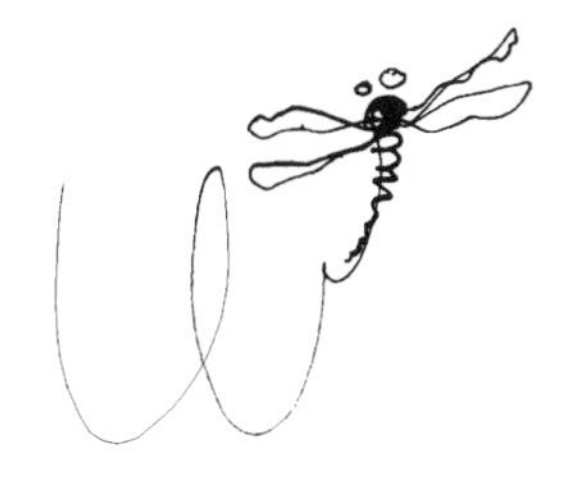

Het contact met de natuur is natuurlijk niet meer dan één van de wegen die leiden naar heelwording, van jezelf en van de aarde en kan op verschillende manieren tot uiting komen, naargelang je aanleg, behoeftes, je richting. Hoe diep de connectie is, hangt ook van jezelf af. De een vindt er troost en rust, de ander praat tegen de dieren, de planten of bomen. En dan is er de mogelijkheid je open te stellen voor een dialoog met vragen en antwoorden, of het zien van de tekens die als een soort taal aan je worden getoond, áls je kijkt. Dat is een manier om je leven meer te integreren met het leven om je heen. *Al* het leven. In alle gevallen gaat het om een relatie met de levende wereld om je heen, een uitwisseling. Een wederzijdsheid. De Oude Volken spreken terecht over hun relatie tot alles. En natuurlijk zijn we verbonden, we kunnen niet zonder elkaar. We zijn elkaar alleen te veel uit het oog verloren hier aan deze kant van de aardbol. En dat we van dat andere leven kunnen leren, is ons al helemaal onbekend. Misschien hadden we om te beginnen het be-

ton niet moeten uitvinden dat onze voeten letterlijk van de aarde scheidt, maar zelfs met de wereld zoals die nu is, kunnen wij opnieuw bewust het contact opnemen en elkaar weer beter leren kennen. Alles in de natuur wacht geduldig op ons. Zij kennen en voelen onze vibraties, het is nu aan ons om open voor elkaars frequenties, lessen en wijsheid te gaan leven, in dankbaarheid voor het bestaan van de ander.
In de cursussen die ik gaf met als thema de dialoog met de natuur, zie ik hoe mensen op deze verschillende niveaus de ontmoeting weer aangaan en daarbij wegen vinden die bij hen passen. Ik kom daarin ook de pijn en het verdriet tegen dat aangeraakt wordt door de onvoorwaardelijke liefde die de natuur je biedt. De openheid, de directheid en eerlijkheid maken het afgeslotene in jezelf duidelijk. De natuurlijke levensvormen die *niet* dichtgeslagen zijn door de problemen van het mens-zijn, bieden ons een veilige weg om ook weer schoon en open te leven. Dat is voor ons helemaal niet makkelijk, maar het maakt je uiteindelijk wél een heler en blijer mens. De oefeningen die ik gebruikte in de cursussen, die gericht zijn op die verkenning van jezelf in communicatie met de natuur, nam ik deels mee uit mijn opleidingen, maar grotendeels ontwikkelden die zich in samenspraak met de natuur. Een enkele verwerk ik in dit hoofdstuk, als mogelijke bijdrage om zelf verder te gaan. Daar voeg ik voorbeelden van ervaringen en interessante gegevens van cursisten aan toe, uiteraard met hun toestemming. Wellicht kunnen ook die bijdragen tot een groter begrip van de weg die je kunt afleggen om meer één te worden met jezelf en het leven om je heen.

Zo waren er twee vragen: Wat waren de eerste boodschappen die je kreeg over de natuur? Wat zijn de boodschappen die je nu krijgt vanuit de natuur?

Dat kun je met behulp van een kleine meditatie het makkelijkste zien:
Sluit je ogen en richt je aandacht naar binnen. Voel je ademhaling. Adem diep en rustig. Voel hoe je via je voetzolen contact hebt met de aarde. Neem de tijd om dit rustig te voelen. Laat nu de eerste boodschappen naar voren komen, in beelden of woorden, die je als kind van je opvoeders, je omgeving en vanuit je cultuur kreeg over de natuur. Hierdoor krijg je een beeld van hoe je startpunt was ten opzichte van wat als 'natuur' beschouwd werd en hoe de mensen in je naaste omgeving ermee omgingen.
Enige voorbeelden ter illustratie:

– 'Ik kom uit een dorp. We hadden een winkel. Er werd heel hard gewerkt. Er was niet veel tijd om me te verbinden met de natuur. Toen ik drie jaar was, voelde ik wél een verbondenheid met de hond. Het was een dialoog. We hadden ook duiven, een tuin. Er moest thuis veel gebeuren met de tuin en de dieren. Mijn boodschap over natuur was: hard werken en verzorgen.
Nu geeft het water, het weidse me enorm veel ruimte. Ik kan daar heerlijk ademhalen, uitrusten. Het respect dat ik bijvoorbeeld in Peru voelde, toen ik daar woonde, voor de eigen loop die de natuur heeft, dat kende ik niet, en vind ik heel belangrijk.'

– 'De natuur was er gewoon. We spraken er niet over. Hoefden er niet héén. De tuin werd goed verzorgd, maar er werd niet over gesproken. We hadden duidelijk respect. Een boom was een levend wezen! Geen devotie, totaal niet. Gewoon respect, eerbied en nieuwsgierigheid.
Maar ik heb geen communicatie, ik ontvang niet vanuit de natuur. Ik stel me daar niet voor open. Alleen

één keer als kind van acht jaar of zo, liep ik van het ene huis naar het andere huis en de maan liep met me mee. Dat was zó bijzonder, het leek net of ik een geschenk van die maan kreeg en ik kreeg het gevoel dat ik bestond.'

– 'Ik ben in een buitenwijk van een grote stad opgegroeid. We waren naar Haarlem verhuisd, want dat was "zo dicht bij de natuur" ... (Mijn ouders kwamen uit Amsterdam!) De natuur was altijd ergens anders. Die was niet waar we woonden. Een uur lopen of twee uur fietsen, je moest er altijd héén. We móesten dan naar de natuur ... En ik moest dat leuk vinden, want het was goed of gezond, of zoiets.' De cursist vertelt het met een lach en er wordt in herkenning op gereageerd door de groep. Hij gaat verder: 'Ik vond het vreselijk, we móesten in het Bloemendaalse "Bos" spelen. Het was geen bos, het was meer een park. Dat was "leuk voor de zondagmiddag" en dat móest ik leuk vinden. We woonden aan de rand van de rivier. Dat water was gevaarlijk, daar kon je in vallen, maar het was geen natuur! Het kale veldje tegenover ons huis dat ideaal was voor kinderen om te spelen, was géén natuur. Het was gras, rotzooi, kuilen, paardebloemen en: pas op! We hadden een tuintje achter met zon erin. Dat was ook geen natuur. Er werden bloemetjes in gezet, daar moesten we óók voor oppassen, ditmaal om ze niet kapot te maken. Ik heb dat nog steeds. Ik woon aan de Amstel in Amsterdam. De bomen die daar staan, noem ik geen natuur, de rivier ook niet. Dat is water. Raar hè, alsof ik ergens anders heen moet, dán is het natuur ...
Nu is de natuur voor mij primair beweging. Water vooral, maar ook de aarde heeft beweging.'

– 'Voor mij is de natuur in alles, zo ben ik opgegroeid.

Ik ben er deel van.'

En op een boerderij waar voorlichting aan kinderen gegeven wordt, hoorde ik dat er stadskinderen zijn die denken dat de melk uit de winkel komt ... Begrijp me goed, ze denken dat melk daar wordt gemaakt!
Wat de vrouw zei over het respect voor de natuur in landen als Peru, is ons vanuit de literatuur en door persoonlijke verhalen natuurlijk vaak opgevallen. Trouwens het tweede en het vierde antwoord zijn van vrouwen die uit andere dan oorspronkelijk Nederlandse culturen afkomstig zijn en ook daar zie je dat verschil. Dat wil zeggen dat zij vanuit hun culturen met een veel groter respect voor de wederkerige verbondenheid van het leven worden opgevoed dan de doorsnee Nederlander. Wij zijn verder van de natuur afgeraakt omdat onze manier van leven ertussen is gekomen. Voor ons is het daarom veelal moeilijker een communicatie op gang te brengen. De wederzijdsheid te ontdekken én te kunnen ontvangen. Ontvangen lijkt in onze cultuur heel erg moeilijk te zijn. Echt in je hart ontvangen zonder tegensputteren en zeggen dat jij er niet toe doet. En, zonder de verplichting te voelen iets terug te moeten doen.

We keken in cursussen verder naar hoe je je aandacht richt op dingen om je heen. Vanuit welk punt neem je waar? Wat is daarbij je uitgangspunt? Een oefening die hierop gericht is kan als volgt gedaan worden:
Kijk naar een plant of een ander natuurlijk voorwerp voor je. Waar is je aandacht? Denk je überhaupt aan dat wat daar vóór je is of aan iets anders?
Richt je aandacht nu bewust *in* de plant en voel het effect hiervan op jou.
Neem tijd om dit te voelen.
Richt je aandacht vervolgens in het midden van je

hoofd en kijk van daaruit naar de plant. Hoe is het, anders dan daarnet?
Richt dan nu je aandacht precies tussen de plant en het midden van je hoofd. Misschien krijg je nu al een indruk hoe je gewoon bent om je aandacht op iets te richten. Van waaruit je waarneemt.
Oefen hiermee en voel het verschil steeds duidelijker. Laat ten slotte de aandacht van *de plant* daar voor je helemaal naar jou toe komen en wees je bewust hoe dát voelt.
Deze tamelijk simpele oefening kan nuttig zijn om de communicatie met ander leven bewuster te richten. Door je aandacht te bundelen en bewust te richten, kom je in het hier en nu te staan en versterk je de energie van je aandacht, waardoor het effect van de uitwisseling veel groter wordt. De eigen uitstraling wordt er namelijk groter door en het maakt de straling van dat waar je je op richt ook krachtiger. Er is op dat moment niets anders dan de plant en jij. Nou ja, jij bent er ook nog nauwelijks, want je bent zelf als het ware gebundeld in je aandacht!
Het laatste deel van de oefening is zeker van belang en we denken er bijna nooit aan dat ook dát kan. Wij hebben de neiging te denken dat alles van ons mensen uitgaat, waarom dat niet om te draaien? Alles wat leeft, heeft een uitstraling en die kun je bewust ontvangen.

Dan vraag ik de mensen naar buiten te gaan, met alle zintuigen (senses) open. Ruik, voel, proef, kijk, wees 'sensueel'. De natuur is ook één en al zintuig. Zij heeft geen stem. Zij voelt en straalt en vibreert.
Ervaringen:

– 'Ik voelde een blad met mijn handen en daarna met mijn lippen. Het was een heel andere gewaarwording. Heel extreem.'

Er kwam achteraan: 'Als er mensen aankomen, doe ik het maar niet, en ik zou heel vaak gewoon een boom willen omhelzen, dat doe ik ook wel, maar dan kijk ik eerst wel goed of er niemand is.'

– 'Als ik in mijn tuintje ben, praat ik wel en geef uitdrukking aan mijn dankbaarheid, maar nu ontving ik ook.'

Schaamte, ja natuurlijk. En, je moet oppassen dat je niet romantisch wordt en je eigen sprookjes creëert, dat het reëel blijft, want daar hebben we het over. Voor veel mensen is de verleiding wel groot, zeg ik hier maar even tussendoor. Maar de wérkelijke antwoorden en ervaringen die je krijgt, zijn altijd interessanter en onverwachter dan je zelf kunt bedenken.

Dan is misschien wel de belangrijkste oefening, die om je hart te openen. Door de bekende tegenslagen in het leven hebben we onze harten geheel of gedeeltelijk voor onszelf én voor elkaar gesloten, om niet weer gekwetst te worden. Jezelf open en eerlijk durven laten zien, gewoon zoals je bent, met al je goede en minder leuke kanten, is bijna niet meer mogelijk. We oordelen en veroordelen elkaar onmiddellijk, en doen dat ook met onszelf. Het is onze bescherming, ons wapen. Hoe moet je dan in hemelsnaam open zijn? Ons gevoel is in dat proces van je teleurgesteld, ondergewaardeerd, in de steek gelaten te voelen, voor een groot deel óók afgesloten. Je gevoel is verbonden met je buik, je tweede chakra, en dat zit dan vaak dicht, op slot. Dat weer te openen voor een boom of een bloem is daarom écht moeilijk.
Mensen die een huisdier hebben, kunnen misschien wél begrijpen hoe het kan, omdat ze het veilige en open contact dan kennen. Een vertrouwen is gegroeid

en daaruit een verbintenis in de jaren van samenleven met dat dier. Je hebt z'n eigenwijsheid leren kennen. Hij of zij is deel geworden van je huiselijk leven. Je hebt het dier *in je huis* gehaald. In je leven binnen jouw muren. Een boom laat zich moeilijker in huis halen! Je hebt wel planten in huis, maar ja, daar praat je niet tegen, laat staan mee. Het is 'toegestaan' je hond te knuffelen, je kat op schoot te nemen en ertegen te praten, maar tegen een plant praten wordt als vreemd beschouwd (*jij* wordt dan als vreemd beschouwd!) en als je een boom omhelst ben je totaal maf. En toch, de boom of plant is net zo aanwezig. Hij bevindt zich wel buiten je huis, maar is evenzo levend en gevoelig en eigenwijs als de hond of de kat. Daarbij komt dat boom en plant, evenals je huisdier je nooit zullen kunnen kwetsen, gewoon omdat zij alleen liefde kennen. Een dier kan nog bang zijn en van angst van zich afslaan. Een boom, een bloem niet en die reageren dan ook niet vanuit angst. Wel reageert dat alles vanuit gevoel en vol gevoel.

De bomen en bloemen en stenen en planten, het water, de aarde, de wind en de zon, zijn de veiligste vrienden die je je maar denken kunt. Goed, de zon kan je verbranden, de wind kan een orkaan worden, de aarde kan beven, de boom kan op je vallen, het water kan je meesleuren, maar dat zal nooit uit kwaadwilligheid zijn, omdat dat gewoon niet kán. Deze natuurelementen hebben immers geen keuzemogelijkheid! Er bestaat voor hen geen 'goed' en 'fout' zoals in de mensenwereld, en het is maar de vraag of dat laatste klopt. Er bestaat voor hen evenmin een gisteren en morgen. Zij leven in het nu. Ook dàt maakt hen oordeelloos.

Je hart weer te leren openen voor jezelf en voor je niet veroordelende omgeving is een prachtige oefening: genezend, helend. In dialoog met je natuurlijke omgeving, wordt je die mogelijkheid tot heel worden aangeboden en daar lopen we voortdurend langsheen. De liefdevolle aandacht die wij terúggeven is helend voor hén en die hebben *zij* weer nodig. Niet alleen wij mensen, *al* het leven heeft positieve aandacht nodig.

Hier is een oefening die je kunt doen om je hart te openen:
Ga tegenover iemand zitten bij wie je je veilig voelt. Een armlengte van elkaar af. Je spreekt af wie nummer één is en wie twee.
Je sluit beiden de ogen en neemt de tijd om rustig je eigen ademhaling te voelen, je maakt contact met de aarde via je voetzolen en je voelt je lichaam zittend op je stoel. Maak in gedachten een kring om je heen. Je zit nu ieder in je eigen kring, op je stoel, verbonden met de aarde.
Als je zover bent dat je weet dat jij jij bent en de ander iemand totaal anders daar tegenover je, omdat je ieder in je eigen ruimte of cirkel zit, dan opent nummer één haar/zijn cirkel vóór zich en richt een bundel pure liefde vanuit de hartchakra, de borstkas, naar de hartchakra van nummer twee. Twee opent zijn/haar cirkel en die hartchakra eveneens steeds verder en verder en doet *niets anders* dan de liefde ontvangen. Het moet voor je gevoel een belachelijk lange tijd duren. Adem diep en *ontvang*. Terwijl één al die tijd bundels liefde blijft sturen.
Als je voelt dat je tot diep achter in die borstkas hebt ontvangen, dat kan wel meer dan vijf minuten duren, pas dan stuur je liefde terug vanuit dát punt naar nummer één. Precies op dezelfde manier: vanuit je hartchakra naar de borstkas, de hartchakra van de ander. Nu ontvangt nummer één alleen maar en doet verder niets dan dat. Láng!
Onder deze oefening wordt *niet* gesproken, alleen ge-

voeld. Sluit je cirkel alletwee zodat je weer in je eigen ruimte zit en richt je hart weer wat meer naar jezelf. Pas na afloop wissel je de ervaringen uit. Probeer van jezelf te accepteren hoe dit ging. Soms kán het niet zomaar ineens. Ligt er te veel paniek, angst, verdriet, pijn vóór. Geef jezelf de tijd om langzaam te helen door oefening.

Ga nu ieder, alleen, naar buiten. Voel welke boom of bloem je aandacht trekt. Alsof die jou uit wil nodigen te komen. Alsof ze je roept op de een of andere manier om deze oefening met je te doen. Het is in eerste instantie meestal een vreemd idee dat een boom jou kan uitnodigen bij hem/haar te komen staan. Toch is het zo, stel je er maar voor open. Ga ervóór staan op een armlengte afstand en open je hartchakra voor de pure liefde die deze boom je toestuurt. Je hoeft weer alleen maar te ONTVANGEN. Neem er alle tijd voor en laat je gevoel er vooral bij zijn. Laat je tranen, of welke emotie dan ook, de vrije loop als die opkomen. Een boom kan je woede aan en transformeert je energie.

Als je voelt dat je midden in je hartchakra vol bent van de liefde van die ander, de bloem of de boom, geef dan vanuit dát punt liefde terug. Voel zoveel je kunt voelen.

Je kunt deze oefening natuurlijk herhalen met nóg een ander element uit de natuur dat jouw aandacht trekt, en dus iets met je te delen heeft. Hier kun je eindeloos mee oefenen. Het zal steeds een beetje makkelijker/natuurlijker gaan. Luister of kijk.

Dan, misschien direct al, misschien later, als je meer en meer kunt voelen, kun je in gesprek gaan met bijvoorbeeld de boom. Mits je daar tenminste behoefte toe voelt. Vraag en antwoord. Verzin geen antwoord, luister door je zó open te stellen als je deed met je hartchakra, en verwacht geen antwoord: Laat je verrassen! Het is écht altijd anders dan je denkt. Niet in het minst omdat de boodschap gegeven wordt vanuit een onvoorwaardelijke liefde. *Zonder oordeel.* Vang dat antwoord of die boodschap dan op in je hart, zo goed en zo kwaad als je kunt. Hoe meer je oefent, des te meer zul je horen, ontvangen. En hoe meer je kunt ontvangen, des te meer zul je kunnen geven.

Hoe je kunt weten dat je *niet* interpreteert, of je eigen gedachten volgt?
Uit ervaring weet ik dat het belangrijk is dat je eerst, vóór je welke vorm van communicatie dan ook aangaat, bij jezelf begint. Contact maakt met jezelf, door je lichaam van binnen via je ademhaling te voelen, staand of zittend. Je voeten op de grond en die in contact met de aarde waar ze op staan. Je vervolgens je eigen hart voelt en naar binnen toe gericht openstelt, voor jezelf, al is het maar op een kiertje. Pas van daaruit kun je het gesprek beginnen. Waardering van jezelf hoort bij de uitwisseling, en de natuur helpt je die te hervinden. Je kunt niet om jezelf heen als je je verbindt met leven dat niet anders kent dan vanuit het eigen centrum te communiceren. De boom zal nooit zeggen: 'Ach laat maar, ik ben niet belangrijk'. De boom is. Beginnen bij jezelf helpt tegen interpreteren en fantaseren.
Wat er met mensen gebeurt, is heel mooi. Hier volgen wat voorbeelden van cursisten die een eerste opdracht kregen, naar buiten te gaan om met een bloem of een boom of met één van de elementen in gesprek te gaan:

– 'Ik vond het moeilijk me over te geven aan de bloem en niet iets te gaan bedenken. Er zit van alles tussen.'

– 'Ik had een mooi contact met een bloem. Er zat een dikke harige hommel in. Ik heb daar heerlijk van staan te genieten. Het was alsof de bloem dichter bij kwam en zei: "Hier, geniet maar van me." Dat kun je dus gewoon horen. Heel ontroerend en fantastisch. Ik kreeg associaties over mezelf en mijn dochter, heel mooi en helend. Daar stonden we met z'n tweeën in een heel open veld, mooi en heel kwetsbaar.'

– 'Het duurt een hele tijd om het ritme, de frequentie van het bloemetje te vinden. Het is zo'n hoge energie dat het bijna niet waar te nemen is voor mij. "Daar ga je altijd langsheen, zet je waarneming maar eens open voor die frequentie", hoorde ik dan. Ik kreeg vervolgens de opdracht om de hele tuin door te lopen en overal te luisteren waar die frequentie zat. Ik associeer die fijnheid met iets heel kleins en kwetsbaars. Maar dat bleek helemaal niet waar. Die energie was juist in heel verschíllende vormen. Heel apart.'

– 'Het werd te veel. Ik moest me weer afsluiten en had het nodig een heel eind te lopen om bij te komen.'

– 'Ik ging naar mos kijken. Als kind zocht ik vaak plekken uit waar mos lag, dat vond ik mooi. Zacht. Ik vroeg nu hoe het komt dat ik me zo voel aangetrokken tot mos. Het zei: "Ik transformeer de energie van de aarde zodat de mensen die kunnen ervaren en andersom." Ik kan me voorstellen dat dat voor een gevoelig kind een heel aantrekkelijke energie is.'

– 'Het doet me wel goed, maar het is wel werken zeg. Ik doe keihard appel op mijn hart en dat houdt het nauwelijks bij. De intense ontmoeting met die kleine bloemetjes raakt zoveel lagen aan. Ik dacht, het heeft een zware energie, maar *ik* ben zwaar. De bloem is licht. Ik laat nu zo veel los, mijn hemel wat is dat goed.'

– 'Nu pas begrijp ik het evenwicht van yin en yang. Alle bloemen die ik zie zijn tegenstrijdig. Alle tegenstellingen die er maar kunnen zijn, zie ik in de bloemen. Het is niet makkelijk iets te ontvangen, je moet er iets voor doen. Ze zijn in balans, dat treft me. Het maakt niets uit hoeveel blaadjes, of hoe ze hangen. Het is oneindig en het is niets. Bij één bloem zag ik verdriet. Dat vond ik erg. Ik snapte het niet. Daarvan ben ik weggelopen, ik ben geen therapeut!'

– 'Ik keek naar de structuur van de paarse bloem op die hoge steel en het herinnerde me sterk aan koraalbloemen. Voor het oog hebben die dezelfde structuur. Ik hoorde of voelde dat ik het beeld van de koraalbloem aan deze paarse bloem moest geven. Dat deed ik. Toen vroeg ik: "Is dit waar ons contact nu om gaat?" Ja, het was er een deel van, maar er was meer. Ik moest weten dat ik "door de beelden van de ene aan de andere bloem te geven, ik meewerkte als mens aan het bewustzijn van de eenheid van al het leven. Dit is niet hetzelfde als meewerken aan de eenheid van bewustzijn. Want dat is niet één. Het is meewerken aan *het bewustzijn van de eenheid*. Een bewustzijn dat al het levende sámen is, als we dénken dat we samen zijn."
Dat hoorde ik van de paarse bloemen. Verbena. Ik had er zelf nooit zo over nagedacht en realiseer me nu hierdoor dat er veel meer is dan je denkt. Nieuwe kanalen in mij gaan open. Ik heb ook veel meer in mijzelf dan ik dacht.'

– 'Ik ging voor een kastanjeboom staan en heb mijn ogen dichtgedaan, om die uit te schakelen. Toen begonnen mijn voeten te tintelen. De wortels geven het leven, dacht ik toen. Wat er gebeurt is logisch.'

– 'Ik heb een stuk teruggevonden dat ik dreigde te verliezen in Nederland. Namelijk dat de natuur je veel te bieden heeft en je ook kan genezen. Dat heb ik van huis uit meegekregen en ik kom nu weer met dat stuk in contact. Wat ik in dit land gedaan heb, is mij meer op de mens richten en nu wordt er weer een evenwicht in mij hersteld. Mens én natuur kunnen helend werken.'

– 'De kastanjeboom waar ik bij stond, heeft van die gezwellen. Mijn eerste reactie: wat zielig. Meteen hoorde ik: "Nee, ik wil geen medelijden, ik wil respect. Want respect is liefde en medelijden is geen liefde. Juist imperfectie maakt ons uniek."'

– 'Tijdens de meditatie vanmorgen merkte ik dat ik heel moeilijk los kan komen van dood en de betekenis daarvan, omdat dat op het moment speelt in mijn leven. Na de opdracht is het geleidelijk aan veranderd. Ik ging naar een heel fijn rozeknopje op een heel dun groen stengeltje. Het groeide vanuit een oud stuk. Als bij de boom waar bladeren afvallen, doodgaan en waar weer nieuwe vruchten aankomen. Een boodschap van evenwicht dat er is tussen afsterven, weggaan en vernieuwing. Dat dat een cirkel is als het ware. Dat het goed is.'

– 'Ik ben gewend dat ik naar iets kijk, maar nu kijkt het naar mij!'

– 'De rivier riep mij. Ik zat op een bankje en ik zag de frequentie van het water. Aan de oppervlakte was die rustig. Daaronder was het anders. Heel vibrerend, rijk. Het voelde heel helend, die lagen van kracht waar ik een intense verbinding mee had. De eenden werden gedragen door de energie van het water, de boten ook. Het water vroeg om respect, dankbaarheid en aandacht. Veel aandacht. De rivier wilde ruimte hebben, breder worden, wijder. Alsof zij bang was te verdrogen. Verder wilde zij duidelijk weer contact hebben met de kosmos, alsof zij die kwijt was.'

Dit zijn maar enkele voorbeelden; ze zijn allemaal zo anders dat de verleiding groot is álles op te schrijven. Eén ervaring van mijzelf voeg ik toch nog toe:
Ik liep deze zomer als vanouds in de bergen en er kwam een paars viooltje op mijn pad, midden in een breed dal, omringd door een keten van hoge rotswanden. Het vroeg duidelijk mijn aandacht. Ik keek er een tijd naar. Toen liet dat bloemetje mij haar/zijn energie zien, een héle hoge heldere frequentie. En dat hele kleine viooltje tussen die gigantische bergen zei: 'Kijk maar, mijn energie is nu bij mij, maar ik kan die zo weids maken als ik maar wil, tot aan de bergen om mij heen of verder! Ik kan dat alleen doen, of we kunnen het samen doen.' Afgezien van de boodschap die het mij persoonlijk gaf, stond ik versteld dat iets zo klein en fijn zich zo groot kan maken wanneer het dat maar wil.
Het is fascinerend en verbijsterend hoe, als je je láát uitnodigen door een element uit de natuur, juist dát jou iets te leren heeft. De volgende dag zul je er waarschijnlijk lángs lopen omdat die les, die wijze aanwijzing niet meer nodig is, of omdat het niet het juiste moment ervoor is. Het is werkelijk een liefdevol samenspel als je dat toelaat. Maar, dat is begrijpelijk, het roept juist daarom ook weerstanden op:

– 'Ik wil ook weer gewoon door het bos kunnen lopen. Ik wil even niets meer te maken hebben met de subtiele energieën, het wordt te veel.'

– 'Ik kan wat ik meemaak niet in mijn lichaam integreren.'

– 'Ik denk dat ik alles meteen moet kunnen, terwijl ik er jaren voor wil nemen, dit alles te verwerken.'

Op de meer spirituele vraag naar de verhoudingen tussen de verschillende niveaus van bewustzijn, en de specifieke taken die iedere levensvorm heeft op aarde, komt zóveel informatie los tijdens de meditatie, dat we helemaal enthousiast raken.
De vraag was, naar de verschillende specialiteiten te kijken van de stenen, de bloemen, de struiken en planten, de dieren en de mensen. Ik geef het een en ander in trefwoorden weer.

De stenen:

Gebundelde lichtkrachten;
genezing;
aan de ene kant afweren van negatieve krachten en aan de andere kant zijn het bouwstenen;
stevigheid;
bodem;
veiligheid;
houvast;
ondergrond;
rustpunt;
verbinding;
communicatie, op een trilling die wij niet horen, met andere planeten in de kosmos, per steen een andere trilling ;
de vibratie van de vastheid van stenen is van een orde

die buiten mijn waarneming ligt;
ze zijn miljoenen jaren oud en ik ben nog zo jong in dit ene leven;
er zit zo veel in een steen opgebouwd door de tijd heen;
ze zijn getuigen én hoeders.

De bloemen:

Fleur, kleur, geur;
schoonheid;
zorgen voor vrolijkheid en voortplanting;
kleur geven;
genieten;
helend;
levenslust;
communicatie van hartsniveau met mensen;
'de-light' brengen;
dat de schepping er is om te genieten;
te hoge tonen om verder te kunnen volgen;
ontvangen;
welkom;
transformatie van iets zwaars naar iets lichts;
zingende koren over de hele aarde;
toppunt van wezens-verschijning, omdat ze in korte tijd het proces van geboorte, leven en sterven doormaken.

De planten en struiken:

Bescherming;
kracht;
samenhang;
schoonmaken;
verbonden met de pijn van de aarde en ons;
communiceren wat er om ons heen gebeurt, liefde en

verdriet;
levensstroom;
ze schermen af;
verbinden in de breedte;
geven, ook van eten;
kringloop van komen en gaan;
contact tussen dier en mens;
het aankleden van de aarde;
aardkracht in relatie tot de lucht.

De bomen:

Zuurstof;
filtering;
verversing;
ademhaling;
bescherming;
evenwicht;
wachters;
leren ons bescheidenheid in hun grootsheid en groots te zijn in bescheidenheid;
kosmos-aardeverbinding;
wijs;
steunend;
ze geven hun vruchten aan de aarde;
ze leren ons over gegrond, geaard zijn;
geworteld;
beweging en onbewegelijkheid;
vertegenwoordigers van de planeten-kwaliteiten;
communicatie vanuit vastheid;
een basis over de hele wereld;
ze zijn onderling, per soort verbonden met elkaar, dóór de aarde heen.

De dieren:

Mensen in contact brengen met zichzelf;
voedsel;
wijsheid;
voortplanting;
instandhouding van een evenwicht;
bewakers;
samenwerking;
voorbeeld van de alternatieven, de keuzen die je kunt maken;
zij geven de plantenwereld een functie;
ze erkennen de plantenwereld;
dragers van heel uiteenlopende informatie;
bewegelijkheid en waarneming;
groepsgerichtheid;
geven liefde;
groepsbewustzijn;
scheppen evenwicht in onbalans;
spelen met de aarde;
verbindend element tussen de verschillende levensvormen.

De mensen:

Procesvernieuwers;
maken chaos, waardoor transformatie mogelijk wordt;
helpen de aarde bij verandering;
liefde geven en ontvangen;
verantwoordelijk voor het geheel;
verbindingen maken tussen licht en donker, beweging en stilstand;
communicatie te *zien* en te zijn en daarmee het proces van de transformatie van de hele planeet te ondersteunen, in beweging te houden en onszelf daarbij;
waarneming en bewustzijn;

groei van individualiteit om te komen tot acceptatie van verscheidenheid;
vrijheid van keuzen ja en nee;
communicatie vanuit beweging.

Verder ervaren cursisten dat sommige bomen en planten met bepaalde dieren samengaan, dat er verbanden bestaan. Als natuurlijke leefgroepen. Interrelaties in harmonie en liefde, met respect voor de veranderingen binnen de algemene constante verandering. Omdat de verandering van de een de ander beïnvloedt. Harmonie is niet statisch en de aarde is in constante verandering.

Een paar antwoorden op de vraag: 'Welke richting gaan we met z'n allen uit?'

Regeneratie;
zoals het in de kosmos gaat, zo ook in je lichaam, de aarde;
evenwicht, balans;
samenhang;
om communicatie en samenhang verder te verbinden;
nieuwe vormen van evenwicht te vinden;
we zijn een concert, maar wel met veel dissonanten;
je meer bewust zijn van elkaar, die keuze kun je elke dag opnieuw maken, dat is heel rijk;
deel zijn van het geheel.

Mensen ontdekken dat er zóveel meer is dan ze dachten en dat ze zélf zoveel meer zijn. Ze gaan hun omgeving anders zien en ze ervaren dat er veel te leren valt van het leven om ons heen. Iemand zag het als een reuze-acht die alles verbond. Zoals van moeder en kind naar boom en kosmos, naar dier en plant, naar aarde en zon. De volgorde is onbelangrijk, er zijn mil-

joenen verbindingen, in één geheel. Waarbij de aarde met al het leven daarop, nog maar een heel klein onderdeeltje is in dat geheel. Er ligt een open uitnodiging om de connectie in je leven tot uitdrukking te brengen, het is oneindig.
De meer spirituele of verbindende benadering die ik aangeef, in antwoord op mijn tóen nieuwsgierige en nu ook ongeruste vragen, is één manier om in contact te komen en te zijn met al het levende. Mij bracht dit terug tot het wonder van het leven. De verbinding met alles opent ondenkbare mogelijkheden.
Maar er zijn natuurlijk vele andere wegen naar de eenheid en de liefde om ons heen. De verschillende invalshoeken zijn nuttig en nodig. De ene mens voelt zich meer aangetrokken tot de bescherming van dieren, en dat is verschrikkelijk belangrijk, want ten eerste heeft elk levend wezen recht op leven en wie zijn wij om dat af te nemen? En ten tweede is het zo, dat als er één dier uitsterft, dat drastische gevolgen heeft voor ál het leven op aarde. Het vertoont een evenwicht, waardoor alles gaat schuiven.
De ander voelt zich meer aangetrokken tot de milieubeweging, die zo langzamerhand iedereen op zijn minst ervan doordrongen heeft dat we zuiniger met onze leefomgeving moeten omgaan. En weer anderen tonen enorme moed in harde acties. Zij maken en houden ons allemaal wakker, zodat we niet vergeten hoe hard en meedogenloos wij het stille leven om ons heen vernietigen. Zodat we beseffen wat we met z'n allen aan het doen zijn.
Dit boek wil een bescheiden maar bewuste bijdrage zijn tot een groter bewustzijn van het verband tussen al het levende.

Ik ga achterover zitten. Het is vijf uur 's middags. Ik zit buiten in een zwiepende wind onder een hemel vol donderwolken. Ik voel me zo klein en kwetsbaar als het viooltje in de bergen. Ik kan zo onder een mensenvoet vertrapt worden. Toch: het viooltje kent geen angst en straalt haar kracht tot ver over de bergen uit. Ik stel me open voor de zon die vanachter een reusachtige donkergrijze wolk tevoorschijn komt en zegt: 'Het is goed. Laat het boek nu los.'

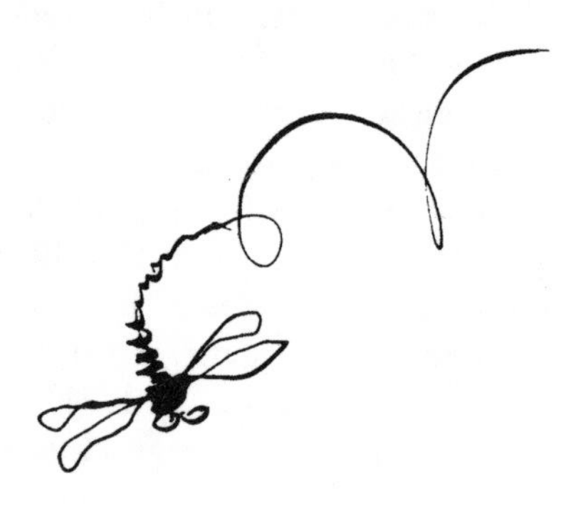

Literatuur

Tenslotte voeg ik een gerubriceerde literatuurlijst toe, om enkele visies aan te geven die in dit boek naar voren komen. De boeken die ik vermeld kunnen wellicht bakens zijn in dit immens weidse veld, voor diegenen die verder willen gaan in hun dialoog met de natuur. Weet wel dat de werkelijke ontmoeting alleen kan plaatsvinden vanuit je gevoel en door je eigen belevenissen. Niet vanuit je hoofd of vanuit de ervaring van een ander! Toch kan het lezen van elkaars ervaringen van grote waarde zijn en iets toevoegen aan je eigen waarnemingen.

Verhalen

Carter, Forrest, *The Education of Little Tree*, University of New Mexico Press, Albuquerque 1976.

Goelitz, Jeffrey, *Het geheime leven van de bomen*, Ankh-Hermes, Deventer 1993.

Kerner, Dagny/Imre Kerner, *De taal van de plant*, Ankh-Hermes, Deventer 1994.

Redfield, James, *De Celestijnse belofte*, De Boekerij, Amsterdam 1995.

Siegel, Robert, *Walviszang*, Alana, Onze-Lieve-Vrouwe-Waver 1994.

Ervaringsverhalen
Burkhard, Ursula, *Karlik, ontmoetingen met een natuurwezen*, Vrij Geestesleven, Zeist 1987.
Greaves, Helen, *Boodschap van licht*, De Ster, Breda 1990.
Greaves, Helen, *The Challenging Light*, Neville Spearman Ltd., London, 1984.
Miller, Lana, *Call of the Dolphins*, Rainbow Bridge Publishing, Portland, Oregon 1989.
Ocean, Joan, *In dialoog met dolfijnen*, Ankh-Hermes, Deventer 1993.
Roads, Michael, *Gesprekken met de natuur*, Kosmos, Utrecht 1990.
Roads, Michael, *Een met de natuur*, Ankh-Hermes, Deventer 1991.
Roads, Michael, *De kracht van de eenvoud*, Ankh-Hermes, Deventer 1994.
Roads, Michael, *Journey into Oneness, A Spiritual Odyssey*, HJ Kramer Inc., Tiburon, CA.
Small Wright, Machaelle, *Al het leven is goddelijk, ekologie voor de Nieuwe Tijd*, Ankh-Hermes, Deventer 1985.
St. John, Patricia, *De geheime taal van de dolfijnen*, Bigot en Van Rossum, Baarn 1992.

Ervaring en oude volken
Andrews, Lynn, *Medicijnvrouw*, Servire, Utrecht 1987.
Andrews, Lynn, *De vlucht van de zevende maan*, Servire, Utrecht 1988.
Andrews, Lynn, *Jaguarvrouw*, Servire, Utrecht 1988.
Andrews, Lynn, *Sterrevrouw*, Servire, Utrecht 1989.
Castaneda, Carlos, *De macht van de stilte*, Servire, Utrecht 1988.
Castaneda, Carlos, *Het innerlijk vuur*, Servire, Utrecht 1985.
Keller, Peter, *Fontein der jeugd, vijf oude Tibetaanse oefeningen om gezond en vitaal te blijven*, Schors, Amsterdam 1992.
Morgan, Marlo, *Australië op blote voeten*, A.W. Bruna, Utrecht 1995.

Nau, Erika, *Bewustwording door Huna*, Ankh-Hermes, Deventer 1991.
Sams, Jamie/David Carson, *Medicine Cards, The Discovery of Power Through the Ways of the Animals*, Bear and Company, Santa Fé 1988.
Sams, Jamie, *Sacred Path Cards*, Bear and Company, Santa Fé 1951.
Sun Bear/Wabun Wind/Crysalis Mulligan, *Dancing with the Wheel, the Medicine Wheel Workbook*, Simon and Schuster New York 1991

Therapeutisch
Asjes, Ellen, *Aromatherapie*, Ankh-Hermes, Deventer 1992.
Asjes, Ellen, *Werkboek essentiële oliën*, Ankh-Hermes, Deventer 1992.
Raphaell, Katrina, *Crystal Enlightenment, the transforming properties of crystals and healing stones*, Aurora Press, New York 1985.
Raphaell, Katrina, *Crystal Healing, the therapeutic application of crystals and stones*, Aurora Press, New York 1987.
Salajan, Ioanna/Sita Cornelissen, *Werkboekje Bachremedies*, Ankh-Hermes, Deventer 1981.

Antroposofisch
Steiner, Rudolf, *Natuurwezens*, de wereld van vuurwezens, elfen, nimfen en gnomen, Vrij Geestesleven, Zeist 1990.

Wetenschappelijk
Berendt, Joachim-Ernst, *Nada Brahma, de wereld is geluid*, East-West Publications, Amsterdam 1988.
Capra, Fritjof, *The Turning Point*, Bantam Books, New York 1982.
Capra, Fritjof, *De tao van fysica*, Kosmos/Z&K, Utrecht 1994.
Goudappel, Henk/Michiel ter Horst, *Het milieu zit in onszelf, over de binnenkant van het milieuvraagstuk*, Vrij Geestesleven, Zeist 1991.

Griffiths, Bede, *A New Vision of Reality*, HarperCollins, Londen 1989,
Jung, Carl G., *Westers bewustzijn en oosters inzicht*, Lemniscaat, Rotterdam 1979.
Kayzer, Wim, *Een schitterend ongeluk*, Contact, Amsterdam 1993.
Kübler-Ross, Elisabeth, *On Death and Dying*, MacMillan, Londen, 1969.
Kübler-Ross, Elisabeth, *Living with Death and Dying*, Souvenir Press 1981.
Naess, Arne, *Ecology, community and lifestyle*, Cambridge University Press, Cambridge.
Romijn Herms, *Hersenen, geest en kosmos*, Swets en Zeitlinger bv, Lisse, 1991.
Sheldrake, Rupert, *Wedergeboorte van de natuur*, De Haan/Unieboek, Utrecht 1994.
Sheldrake, Rupert, *The Presence of the Past*, Fontana, Londen 1988.
Stone, Robert B., *Het geheime leven van je cellen*, Ankh-Hermes, Deventer 1992.
Tompkins, Peter/Christopher Bird, *The Secret Life of Plants*, Penguin, Londen 1975.
Wilber, Ken, *Zonder grenzen, oosterse en westerse benaderingen van persoonlijke groei*, Karnak, Amsterdam 1983.
Zukav, Gary, *De zetel van de ziel, naar een spirituele beleving van de werkelijkheid*, Kosmos, Utrecht 1989.
Zukav, Gary, *De dansende Woe-li Meesters*, Bert Bakker, Amsterdam 1979.

Lijst van afbeeldingen

Jeffrey Goelitz
Het
geheime leven
van
de bomen

Joan Ocean
In
dialoog
met
dolfijnen
Hun boodschap
aan ons